JN111409

「フィギュアをもっとエンジョイ」

目次

※文中の人名、タイトル、イベント等は執筆当時のものです。

目次

2016年

2017年

2018年

2019年

本書は月刊ホビージャパン2012年5月号から2019年12月号に掲載されたものを収録しました。

斎藤 工（俳優）

寒河江さんとは河崎実監督の『兜王ビートル』（05年）での出逢い以降さまざまな現場や作品でお世話になってきました。しっかりと対話させていただいたのは、寒河江さんが飯塚貴士監督の『ニンジャセオリー』（13年）の造形のサポートをされていた時に梅ヶ丘の小さなスタジオでお会いした時だったと記憶しています。そしてその劇中で使った寒河江madeのバイクのフィギュアを贈って下さり、その御礼から、時折り連絡を取らせてもらっていました。寒河江さんは常に若い才能や手が足りていない現場に対して徹頭徹尾サポートされている方でした。その根底には〝映画愛〟があり、「応援しているから」という理由で数多くの作品に尽力されている姿には心から感銘を受けました。

それからは『虎影』（15年）の造形だったり、宝物をたくさんいただきました。そして近年だと私が『シン・ウルトラマン』のキャストが発表された時、いち早く喜びの連絡をくださり、「おめでとう！ 工さんのウルトラマンフィギュア作りたい！」と最高に嬉しい言葉をいただきました。樋口真嗣監督とも共有していたので、シンマンの現場でそのフィギュアのための私の全身写真を樋口さんが撮って寒河江さんに送っていたりしました。

最期まで病床にて『ご当地怪獣』映画化プロジェクトだったり、粘土と触れ合い無限のクリエイティブに有限の時間で猛進し続けた寒河江さん。

心配する周りを逆に勇気付け、前を向かせてくれた寒河江さん。

ありがとうございました。

今も粘土を触っていますか？　いつかその私のフィギュアをいただきに行きます。

ではまたその時に。

2012年

サガエデイズ 君よ粘土の河を渉れ！

3月　ゆうばり映画祭に行ってきた！

今回から突然始まりましたこのコラム、「立体イラスト」などと偉そうに称した粘土細工とともに皆さんのご機嫌を伺っていければと思いますのでよろしくお願いします！

ということで、行ってきました！「ゆうばり国際ファンタスティック映画祭２０１２」！２月23日～２月27日まで北海道は夕張の地で行なわれる文字通りファンタスティックな映画の祭典も今年で22回目。自分は第２回に自主映画のスタッフとして参加して以来夕張を訪れるのは実に21年振り。今年は招待作品の『ウルトラマンサーガ』をはじめ関わった作品が５本も上映され、「これは行くしかない」と溜まってる仕事もすっ飛ばしぃーの覚悟の参加なのでした。ハリウッド大作からショートフィルムまで総上映数１１２作品、もちろん全部の映画は観れないんですがＨＪ読者向けにいくつか紹介を。

まずはやっぱり『ウルトラマンサーガ』！実は21年前、関西から一緒に参加した自主映画仲間が『サーガ』のおかひでき監督だったのです。大ホールでの上映日、朝早くから行列ができたのですが気温はマイナス10度！しかし寒さをまったく感じさせないお客さんの熱気。キャパ５８０人会場は満員。舞台挨拶にはおか監督、怪獣造形の品田さん、そして主演のＤＡＩＧＯさん！さらにはサーガまで登場し、ちびっ子たちやＤＡＩＧＯファン入り乱れての盛り上がり。そして上映、笑い、泣き、お客さんの素直なリアクションに涙涙。「バット星人によってほぼ全人類が誘拐され無人となった地球にウルトラマンたちとチームＵが協力して人類を取り戻す」というお話、人口が激減し過疎化が進む夕張の地で上映されることには「意味」がありました。『サーガ』の上映にたくさんお客さんが集まってくれた…とても嬉しい出来事でした。上映後、楽屋でＤＡＩＧＯさんに初めましてのご挨拶。※先月号用に作ったタイガフィギュアをお見せしたら、ご自身のブログに画像を上げてくださってこれも嬉しかった。

井口昇監督『ゾンビアス』がこれまた凄い映画！　ウンコまみれのゾンビが襲ってくる井口監督らしいやりすぎハチャメチャホラー映画！　なんですが、実はこの映画で自分ボロボロ泣いてしまいました。号泣ですよ。そして主演の中村有沙さんのハンパない頑張り!! 自分の「フィギュア作りたい」スイッチON！　です。『劇場版電人ザボーガー』にハマった方なら迷わずオススメします。

続いて大畑創監督の『へんげ』という作品。例えるならデヴィッド・クローネンバーグ、あるいは『怪奇大作戦』。「〝へんげ〟する夫とその妻の愛の物語」と言えばその通りなのですが、驚愕必至！　特撮ファンの方には『ウルトラゾーン』や『MM9』の田口清隆特技監督なのが注目ポイント。実は自分もその田口組で参加してます。

ショートフィルムで面白かったのが飯塚貴士監督『ENCOUNTERS』！　全編フィギュアとミニチュアを使って撮影された、これぞHJ読者の皆さんに観てほしいバカ怪獣映画！　監督の抜群のセンスとキッチュな味わいで自分はもう虜です。会場でも大ウケで随所で笑いが起こってました。

『ウルトラマンサーガ』『ゾンビアス』『へんげ』の3本は現在絶賛上映中！　3本とも劇場のスクリーンで観るべき映画なのでゼヒゼヒ足を運んでみてください！

そして、映画祭最終日に最大のサプライズ！『ウルトラマンサーガ』が観客投票によって選ばれるファンタランド大賞を受賞しました！　先に帰京した監督の代理で自分が授賞式に（大泣き）。たくさんの映画と人と出会い語らい、本当に夢のような5日間！　ゆうばりファンタ、仕事すっ飛ばしてでも行く価値有りなので、来年は皆さんもゼヒ！

4月　塚本晋也監督をモーレツリスペクト

なでしこジャパンやイチロー等々、ワールドカップやオリンピックなど海外で日本選手が活躍すればナショナリズム全開でやんやの大騒ぎの日本人。しかし、ことそれが「映画」となったら無関心すぎやしないか日本国民よ！　スポーツ観戦はもちろんTV中継すらほとんど見ないけど、シネマ大好きな自分にとっては寂しい限り。最近はインターネット等のおかげで報道される機会も増えたというもののまだまだ全然盛り上がりが足りない！　そう、世界の映画祭で日本映画は大健闘しているのですよ。そのパイオニアでありなおかつトップランナーなのがなんと言っても塚本晋也監督！　20数年前、ローマファンタでモノクロの16㎜自主映画『鉄男』が、アカデミー監督賞にノミネートされたこともあるケン・ラッセル監督を抑えてグランプリ！　以来、作る映画すべてが世界中の映画祭を席巻し賞も多数。第54回ヴェネツィア映画祭で北野武監督『HANA-BI』が金獅子賞を獲ったのは有名ですが、その時の審査員の一人が塚本監督だったり…。と、もちろん日本でもファンの多い塚本監督ですが、海外での超メジャー活躍を賞賛するに足りうるもっと国民的な大リスペクトが必要なんですよ有権者の皆さん！

塚本晋也監督の最新作『KOTOKO』を観た。『鉄男』シリーズ等はHJ読者にもわりと馴染みが有ると思うのですが、映画祭に出品されるような映画は「内容が難解」とか「長くて退屈なんじゃないか」と思われる方もいらっしゃるでしょう。ここでその誤解を解きたい。かく言う自分も今回は「シンガーソングライターのCocco主演」くらいの事前情報で観たので、てっきりスクリーンに沖縄の海の景色が広がってトビウオのアーチをくぐっちゃうような綺麗で穏やかな癒しの映画なんじゃないかなんて頭の片隅にあったんですが…180度真逆!!　まるでレンガで顔面殴られるような衝撃の映画！　ガツンとやられました。「そうだ！　これは塚本映画だったんだ！」と。

告白しますが、20年以上前の話ですが自分はほぼストーカーでありました。雑誌「ぴあ」に載っていた一枚の写真に惹かれて観た８㎜映画『電柱小僧の冒険』、その夜は興奮で全く眠れず。その後『鉄男』の洗礼を経て、夕張映画祭で『ヒルコ妖怪ハンター』に出会って完全ロックオン。手紙を送り、出待ちをし、挙句、上京して事務所を訪ねる（もちろんアポ無し）の大迷惑。その後東京に住むようになり映画『ガメラ 大怪獣空中決戦』の現場で働いた時に出会った造形の織田尚さん（『ヒルコ』『鉄男２』造形）に付いて『東京フィスト』で念願の塚本映画に参加できた時は本当にうれしかった。また自分が特撮美術を担当した『さくや妖怪伝』に塚本監督が傀儡師役で出演。自分がプロップとして作った生き人形を持ってお芝居していただいて大恐縮。『鉄男 ＴＨＥ ＢＵＬＬＥＴ ＭＡＮ』ではフィギュアの原型師として監督が自分を指名してくださってストーカー冥利に…って、話を『ＫＯＴＯＫＯ』に戻しましょう。「世界が〝ふたつ〟に見える症状に悩みながら、激愛する息子と共にそのバランスを失った世界で生き抜く女性・琴子」のお話。その「琴子」を演じるのがＣｏｃｃｏ様（←あえて様付け）なんですが、「熱演」とかそんな生ぬるいもんじゃなく本当に凄い‼ 元々エネルギーに溢れていて電力供給過剰な塚本映画に更にＣｏｃｃｏ様の猛烈なパワーが加わる。「嘘」のはずの映画が目の前で事件として起こっているような錯覚。そしてこの映画もベネチア国際映画祭オリゾンティ部門で最高賞受賞！ 現在公開中。自分は完全にノックアウトでした。そういえばタイトル「ＫＯＴＯＫＯ」の中にＫＯ（ノックアウト）がふたつ見える！

5月　アジア映画を侮るな

韓流ドラマやK-POP…、もはやブームを超えてひとつのジャンルとして定着した感のあるコリアンエンタメ。映画も日本で公開されるアジア作品といえば韓国作品強し。ホントは他のアジアの国々でも面白い映画が作られているはずなんですがなかなか日本にやって来ない。そんな中、インドから圧倒的超大作映画が日本にやって来た！映画『ロボット』だ！

一年半くらい前のこと、YouTubeに上がっていた話題の馬鹿特撮映像。グラサンにスーツの同じ顔同じ姿のオッサン達がいっぱい繋がって、巨大な球になったり、大蛇になったり街で大暴れ！「わはは！何じゃこりゃ」と検索したらどうやら映画のワンシーン、しかもインド映画だという。世界で一番映画をたくさん作っている国と言われるインド。しかし、さすがに日本でそれを観る機会は少なく、自分も知ってる映画といえば15年以上前の『ムトゥ踊るマハラジャ』くらい。ムトゥと言えばヒゲに白い歯も眩しい笑顔のインドの国民的スーパースター、ラジニ・カーント様が歌って踊って、タオル振り回してアクション決める…それが延々（ホントに延々）続くマサラムービーの決定版。他にも同じような映画がきっとものすごくたくさんあるんでしょうが、「色黒、口ヒゲ、白い歯キラリ」のインドの俳優さん達は日本人の自分には見分けがつかない…って「ん!?」。『ロボット』のロボ役ってそのラジニ様じゃないか!!　ヒゲ無かったんで判らなかったよ！というか、あんたはいったい何歳なんだ!?

ラジニ様演じる博士が自分そっくりのスーパーパワーのロボット（ラジニ様二役）を作るも、そのロボットが博士の美人の恋人にチューされてポワワ〜ン。ところが！博士がその恋人と結婚すると知ってロボット大失恋。ライバルの悪徳博士と組んで自分を量産して大暴走…と大体こんなストーリー。こんな小学生が考えたようなお話にハリウッド映画を凌駕するほどのＶＦＸや実際にハリウッドからスタン・ウィンストン・スタジオ（『ターミネーター』『ジュラシック・パーク』等）を招聘し完全本気。また極めつけはアクションには〝マスター・オブ・カンフー〟袁和平《ユエン・ウーピン》師匠（『蛇拳』『酔拳』『マトリックス』）という鉄壁布陣。降参です。『ロボット』現在公開中、これは劇場で観ないと！

もう一本紹介したいのが『黄金大劫案／Guns'n Roses』という中国映画。２００６年公開の『クレイジー・ストーン 翡翠狂騒曲』という映画をご存知だろうか。高価な翡翠を巡り、３人組のマヌケな泥棒×真面目な警備員×凄腕のプロの怪盗等々が入り乱れる痛快アクションコメディ。自分ら日本人がイメージするような中国映画（例えばカンフーだったり牧歌的だったり政治的な内容だったり）とは全然違って、ダニー・ボイルやガイ・リッチーあたりを髣髴するようなスタイリッシュな映像とハイスピードな展開でムチャクチャ面白かった。その監督、

寧浩《ニン・ハオ》の待望の最新作が『黄金大劫案』。舞台は１９３０年代の中国、今度は満州国銀行から黄金強奪を描くという超大作！実はこの映画、自分の友人である俳優の北岡龍貴氏が日本の軍人役で出演しているんです。動画サイトで予告を見る限りこれもかなり期待できそう！もちろん北岡さんの活躍も映ってました。しかしながら、今のところ日本公開は未定。早く観たいよ！

ということで、未知のアジア映画はまだまだ多し！『忍者ハットリくん』や『巨人の星』のアニメがインドでリメイクなんて話も聞こえてきて、ホントに侮れないのである。

6月　フィギュアの大学

5月17日、縁あって大阪芸術大学短期大学部にて「フィギュア」の講義をやらせていただいた。母体である大阪芸術大学は実は我が母校。25年ほど前、美術学科で彫塑を専攻、彫刻家をめざし真面目に人体塑像なんかを勉強…って、ゴメンナサイ！　カムアウトすれば本当は毎日のように馬鹿なことばっかりやってました。実習中に増えていく課題とは関係のないファンドのミニフィギュアたち。校舎の屋上では8㎜カメラ回して作ったミニチュアを爆発炎上させ、友人の下宿に泊り込んではオールナイトでVHS上映会。高校の頃、DAICONFILMや劇団☆新感線等「面白そう！」に溢れていて憧れだったその大学も自分が入った時は、庵野秀明さんやいのうえひでのりさんたちが卒業した後のもぬけの殻状態。アオイホノオはうっすら残り火がある程度。しかしながら、周りは日本中から集まって来た「面白いこと」に飢えた愛すべきバカばっかりで本当に楽しい日々だった。そう、ネットも無かったので「面白いこと」は当然歩いて探すしかなく、そんな中で出会った人との付き合いが今も続いている不思議。当時、それ程漫画やアニメに詳しくなかったのですがなぜか「CAS」という漫研に籍を置いていた。歴代プロの漫画家をガンガン輩出してるサークルなんですが、その頃も先輩の克・亜樹さんやMEIMUさん、石垣ゆうきさん等、学生でありながら漫画家として活躍されていたり、またアニメ制作会社XEBEC創業者の佐藤徹さんが自主アニメを作っていてなぜか声優させて貰ったり、今思えば何と幸せな青春の日々（笑）…と、思い出話はこの辺にして、今回お邪魔したのは短期大学部。自分が通っていた南河内の学舎とは違う場所なのでその郷愁こそないですが、まだ十代であろう学生さん達を見るに「若いっていいなあ」と、定番のおっさんセリフが口から出てくる始末です（笑）。

講義のテーマは「寒河江弘先生特別講義／最新フィギュアの現状と今後の発展」とのこと！　いや、当日朝学内に貼られていた告知ポスターを見て初めて知った事実ですよ。もっとも自分が持ってきた画像は「最新」とは程遠い過去のモノがほとんど。フィギュアの種類（スタチューやアクションフィギュア、果ては撮影用のプロップまで）やその可能性を解説したり、以前作った南野陽子さんのフィギュアの企画→デザイン→原型→生産→リリースの過程を画像とともに紹介してみたり。学生たちにどう伝わったかは分かりませんが、自分としてはフィギュア論に重ねてある意味「俺史」をぎゅっと1時間半に詰め込んで紹介してみました。講義後ちょっとだけ質問タイム。「シリコンの型取り」や「スカルピーの焼き方」等、技法の質問してくるのは「作りたい」というヤル気のある証拠。それがみんな女の子だったのは意外であると同時になんだか少し明るい未来を感じられましたですよ。

ところで現在の大阪芸大、教授陣がなんだかすごいことになってました。平成ゴジラの大森一樹監督をはじめ（以下敬称略スミマセン）スクリーミング・マッド・ジョージ、永井豪、池上遼一、里中満智子、高橋良輔、日野日出志、杉山佳寿子、島田歌穂。ゴジラ！ガイバー！デビルマン！ボトムズ！さらにはハイジにロビンちゃん！ここは夢の国ですか？（笑）。また短期大学部のほうには『ガメラ大怪獣空中決戦』の小野寺昭さんが！自分は特別講義という枠だったんですが、自分の次の月の特別講義はルフィー&クリリンの田中真弓さんですって！いや、ここまでオタクまっしぐらな環境になっているとは思いもよらずビックリしました。近頃も『エアーズロック』の山下敦弘監督や『ウルトラマンサーガ』のおかひでき監督等卒業生の活躍が目覚しい大阪芸大。さらなる新たな才能に期待です！

7月　この夏、なぜか特撮が熱い！

『ウルトラマンサーガ』を観た知人の女性からメール。「感動した」との内容で喜んで読んでたら「～戦隊モノって初めて観たんですが～」って、ズッコケた！「おいっ！」と自分を含めHJ誌読者の皆さんはツッコミたくなるでしょうが、世間様の認識程度はそんな感じでウルトラもライダーもきっと「戦隊モノ」なんですよね。違和感といえばレンタルDVD店の「アニメ」コーナーに実写モノが並んでたりするアレ。「キッズ」なんてコーナーに「真・仮面ライダー序章」が有ったりすれば「違うだろ」ってつぶやいてみたり。で、それにちょっと関連したこんな話。先日Twitterで「仮面ライダーを『特撮』と呼ぶことに違和感」みたいなことを呟いたら、「残念だ」「巨大特撮だけが特撮なのか！」的なリアクションいただきました。いやライダーを仲間外れにする意図は全然なくって、自分にとっては「特撮」ってミニチュアや操演だったりアナログ的な要素が大事なのでCGやVFXとは対極のモノなんです…って、これぱっかりは世代的なことかもですが。時間も手間もかかる造形やミニチュアなんかのアナログ技術はデジタル化の大波に圧され業界的には危機的状態。あえて言う。ミニチュアは瀕死なんです。そんな中、現在仮面ライダーは空前のブームで玩具も劇場版も大ヒット！もちろんそれは素晴らしいことなんですが、それをもって「特撮が大人気」と思われちゃうと「危機感が伝わっていないことの危機感」を少なからず感じてしまうわけで、ツイッターでの発言の意図はそこにあったのでした。

そんな中、特撮映画の美術&造形にスポットを当てた凄いイベントが始まった。現在、東京都現代美術館で開催中の「館長庵野秀明　特撮博物館～ミニチュアで見る昭和平成の技～」がそれだ。ということで、オープン前の内覧会に行って来ました！ミニチュア好きには堪らない特撮ネバーランド。東宝&円谷を中心に偉大な先輩達が残された文化遺産、その数５００点超。単に撮影で使われたプロップが汚いまま置いてあるのではなく、まるで土器や仏像などの出土品を修復するかのごとく展示のために当時の技法で再現され、その姿は涙モノです。ポリパテもスカルピーも瞬間接着剤も無かった当時。例えば木型からブリキの叩き出しで作られているのが分かったり、特撮に直接興味が無くともＨＪ読者なら必見の内容です。自分がらみで言うなら『ガメラ』の時の30kgくらい痩せてた俺写真があったり、『ＧＭＫ』の時に現場のありあわせ材料で作った天本英世&蛍雪次郎人形があったり。皆さんもぜひ探してみてください。そして新たに作られた映画『巨神兵東京に現わる』にも注目。樋口真嗣監督のもと、東宝東映円谷等々の特撮を手掛けた凄腕スタッフがこの映画の為に結集。まさにドリームチーム！　メイキング映像と併せてぜひ観て欲しいです。ミニチュアは決して過去の技術じゃない！　自分は本編観てマジ泣きでした。

この夏、他にも特撮系イベントがなぜか目白押し。7月30日にはガメラ生誕の地である調布の角川大映スタジオで「真夏の夢のガメラフェス２０１２」。出演は原口智生氏、三池敏夫氏&俺（笑）。撮影所内に入れるチャンスですよ。東北では8月に「宮城国際ヒーローサミット２０１２」なんてのもある。「蝋燭は消える直前一番燃える」なんて言いますが、自分は起死回生への盛り上がりだと信じたい。新作特撮映画が今後作られるか否かはこういうイベントにちゃんと集客が有るかにかかっています。お願いです！　ぜひ皆さん足を運んでください！　「特撮」を盛り上げましょう！

8月　妄想、オールスター映画

兎にも角にも『アベンジャーズ』である。「日本よこれが映画だ」なんだそうだ。アイアンマン、キャプテン・アメリカ、ソー、ハルク…。それぞれの映画で主役を張るスターヒーローの皆さんが地球の危機に作品の垣根を越えて一致団結！　なんと燃えるシチュエーションでありましょうよ。偉いのはこの映画を見据えて…というかまさにこの映画のためにそれぞれの主演映画を大金かけて作ってきたという長ーい前フリの末に結実させたということ。だって、数年前までアイアンマンもソーもアメコミ知識が無い人にとっては「誰それ？」キャラだったはず。…って、実はこの原稿書いてる時点では、映画公開前なのでまだ観られていないんですが…。

ということで、世の中、作品の枠を飛び越えて主役キャラクターが共演するいわゆる「クロスオーバー作品」がなんだかちょっとしたブーム。公開中のインドSF映画『ラ・ワン』には前にこのコラムで紹介した映画『ロボット』のチッティ（ラジニ様）が出てるらしいし、ウルトラだってずっと兄弟たちが助けに来る展開。東映のヒーローモノ、戦隊やライダーの劇場版に至っては、ここずっと「○○が復活！」ばっかり…って、もっともお祭り的にヒットしてるんで業界的には大歓迎。そもそも東映にはその伝統がある。70年代の東映まんがまつり、『マジンガーZ対デビルマン』をはじめとするダイナミックプロキャラクター共演企画。公開年調べたら当時俺6歳。大興奮の直撃チルドレンだったわけですが、しかしながら我が家はずっとチャンピオン祭りの東宝派でした。ゴジラと言えば当時は疑問だった『三大怪獣 地球最大の決戦』のタイトル。ゴジラ、ラドン、モスラ、キングギドラと登場怪獣4匹なのになぜ「三大怪獣」なのかの件。自分はゴジラが敵怪獣と戦うことが当たり前の第2次怪獣ブーム世代なのでピンと来てなかったんですが、「三大怪獣」とは映画『ゴジラ』『空の大怪獣ラドン』『モスラ』の

それぞれの三大主役怪獣のことで、それらスター怪獣の皆さんが作品の垣根を越えて一堂に会し、新怪獣キングギドラと戦う…そう正に当時の子供たちにとっては夢の怪獣アベンジャーズだったんだなあと。『キングコング対ゴジラ』しかり、東宝怪獣映画がオールスターのクロスオーバー映画の元祖なんですね。

『エクスペンダブルズ』が公開になった時も「日本だったら誰キャスティングするよ？」と妄想トークに花が咲いたわけですが、今回もそんな話ばっかりしてる。日テレ系映画の『ヤッターマン』『ＧＡＮＴＺ』『怪物くん』を無理やりクロスオーバーさせて『アベンジャーズ嵐』なんて絶対当たる、とか。ゴジラにヘリで決死の接近をして「呪いのビデオ」を見せ、７日後富士山麓に「直径２００ｍの巨大な液晶モニター」を設置、そしてクライマックスにはついに両者対決！『ゴジラ対メガ貞子』！とか。キングコング、鳳凰、ケルベロスを従えた『桃太郎』はどうか、とか。さらには箱で相手を老化させる浦島太郎、ミクロ化できる一寸法師、怪力無双の金太郎、紅一点の異星人かぐや姫も集結して『日本昔ばなしアベンジャーズ』なんて坊やも良い子もねんねできない！とか。…馬鹿話は尽きないのでこの辺で。スーパーマンやバットマンが共演する元祖クロスオーバー企画の「ジャスティスリーグ」映画化の話も聞こえてきたし、世界ヒーロー大集合の「キングダムカム」の映画化までぜひ突っ走ってください、ハリウッドさん。

9月　自主映画やろうぜ

突然ですが二極化である。いや「日本映画」の話。テレビ局&広告代理店が仕掛ける予算の掛かった映画。懐かし漫画の実写版やヒット小説の映画化作品などなどハリウッド大作や人気アニメを押し退けてヒット作がバンバン出ている状況。一方、小さなバジェットの映画もとても元気だ。入江悠監督の『SRサイタマノラッパー』シリーズや今年（2012年）なら鈴木太一監督『くそガキの告白』や内藤瑛亮監督『先生を流産させる会』、自分も参加した大畑創監督『へんげ』などなど、各地の映画祭を席巻して全国巡廻で劇場公開へ。かたや大量宣伝とシネコンシステムで大ヒットの大作映画。かたや映画祭や評論家の支持を得て各地のミニシアターで話題のインディーズ系作品。こうして見ると興行でも質でも実に豊かに見える日本映画界ですが、その間にあるはずの作品がゴッソリ無くなりつつある。予算規模で言えば数千万円クラスの映画。例えばヤクザ映画やバイオレンスアクション、B級ホラーやちょっと下品なコメディ…ってそう、これらみんな俺の好きなジャンルの映画だ。愛すべき頭の悪い系の映画がスクリーンから消えようとしているのである。これは由々しき事態、そこで提唱である。「撮っちゃいな」そう　今こそ自主映画推奨なのである。

先日大阪で自主映画イベントをやった。「鉄ドン」という超短編自主映画とお笑いライブのイベントで18年ぶりの復活。『ウルトラマンサーガ』のおかひでき監督、『STACY』の友松直之監督、『ウルトラゾーン』の田口清隆監督らプロの監督たちの他、小説家の中沢健さんや玩具プロデューサーの安斎レオさんなどなど総勢20名以上の方々がすべて新作映画を携えて参加してくださった。猛暑×悪天候の中、お客さんもたくさん来てくださって大・成・功。いや、ホント楽しかった。20年前の当時は自主映画といえば8㎜フィルムだったわけで、機材や現像のことなど映画を撮るハードルも高かったんですが、今やデジタル。デジカメ…いやスマートフォンだって高画質の映像が撮れる時代。要は「ヤル気」さえあれば誰でも映画が撮れるのだ。ぜひ「Sweded」という単語でYouTube検索してほしい。世界中のアホが作った愛すべき馬鹿リメイク映画がいっぱい引っかかることでしょう。これは2008年のミシェル・ゴンドリー監督の映画『僕らのミライへ逆回転』の劇中で勝手に作られた映画をデタラメに「スウェーデン版リメイク」と称したことに端を発してファンが勝手に作った映画たち。最近でも『アベンジャーズ』や『ダークナイト ライジング』なんかのSwededが作られていてもうニヤニヤです。あとYouTubeついでに「GFantis vs Thing」という映画もぜひ検索を。アメリカの怪獣ファンNicolas Cloutierさんが作った自主映画なんですが、これがダンボールのビル並べていい大人が怪獣ゴッコをやってて楽しいんです。そして、主演はあの渡辺裕之さん。そして…なぜか自分も出てます。昨年シカゴで撮影。笑ってやってください。

かつて劇場映画といえば35㎜フィルム。劇場にも巨大なフィルム映写機があったのだが今はデジタル化で言ってみればDVD一枚…すなわち自分が撮った馬鹿映画でも劇場のスクリーンに映すことは（技術的に）可能なのだ。最初に挙げたインディーズ作品たちもフィルムでなくデジタルで撮られてたりするのです。さあ撮ってみたくなったでしょ。そして今度は12月に東京で「鉄ドン」をやる予定。Let's begin. みんなの参加を待ってます。

10月 攻める知将・樋口真嗣監督のこと

11月2日公開の戦国エンターテインメント超大作『のぼうの城』を一足お先に観させていただきましたですよ！　いやもうホント痛快！　ボロ泣き！「たぎる」映画でした。メガホンを取ったのは犬堂一心監督&樋口真嗣監督。ということで、今回はちょっと勇気を持って、そのW監督のおひとり・樋口真嗣さんのことを書きます。

『ヱヴァンゲリヲン』の名場面をクリエイトし、AKBを白ビキニで浜辺で踊らせ、ガメラにギャオス果ては巨神兵を東京の街で大暴れさせる…アニメ、アイドル、大怪獣、とド直球王道のオタクメインストリームを驀進・牽引する存在でありながら、そこだけに留まることなくさらに攻め込み、今やこの国の大作娯楽映画の根幹を担うまさに日本を代表する映画監督。自分はフィギュアの仕事とともに映画の撮影用の作り物の仕事もしているわけですが、もう20年近く前の1994年東京に住んで初めて付いた仕事が、『ガメラ大怪獣空中決戦』の特撮班の現場…すなわち樋口組でした。近くでそのこだわりと仕事に対する姿勢を目の当たりして以来、大尊敬の存在なんです。…ってこんな粘土細工（写真）作って説得力ないかもですが（大汗）。

よく「近頃の低予算映画は大変だ」なんて話を聞く。このコラムでも度々言うように日本の小さい映画におけるバジェットのデフレスパイラルは深刻。それはそれとして、じゃあビッグバジェットの映画が大変じゃないかといえばもちろんそうじゃない。ここ10年で東宝や東映等大手制作会社は単独で映画を作らなくなった。よく「○○製作委員会」とかいうクレジットを目にすると思いますが、それはテレビ局等複数の会社が出資をしてこの映画が作られてますよということ。すなわち、いろんな会社のいろんな人たちのいろんな意向が絡み合う複雑怪奇なしがらみを乗り越えて映画を作り上げなければならず、そのエネルギーは並大抵のことじゃない。表には「大

人の事情」としか出ないような数々の舞台裏のバトルを凌ぎ、そして失敗すれば次は無く、当たり前のように結果を求められる。さらにはポストプロダクションを含め何百人のスタッフを率いるわけである。チームをまとめる統率力、ゴールの方向を示す確固たるイメージ力、正に戦国時代の大軍を率いる武将の資質「将器」が求められる。『ローレライ』『日本沈没』『隠し砦の三悪人』と大仕掛けの大作ばかりを手掛ける樋口監督はまさしく将器の持ち主、百戦錬磨の戦国武将…って言いすぎでしょうか。

『のぼうの城』はその集大成ともいうべき娯楽映画の傑作。大量のエキストラを使った合戦シーンのダイナミックなアクション、苫小牧の広大な敷地に築かれた巨大オープンセットは、とかくグリーンバック合成で済まされる昨今の映画の画作りとは全く違うリアルなスケール感。そして、「水落とし」による大迫力のミニチュア特撮も必見でしょう。また演じる役者さんたちの顔力がすごい。冒頭の市村正親（豊臣秀吉）の表情だけで思わず吹き出してしまうほど（笑）。何より魅力的なキャラクターはもちろん野村萬斎演じる〝のぼう様〟成田長親。そのディアナ様（@ターンA）級の〝愛され力〟で家臣や国民のハートをつかみ、石田三成の2万の大軍に無謀な喧嘩を売る姿は痛快！　HJ読者は全員観るべしのお薦め映画です。

ところで、娯楽大作映画とアニメ・特撮を股に掛ける樋口監督、実は昨今流行りのアニメ・漫画の実写化劇場映画をまだ監督していないという意外な事実。映画会社&プロデューサーの皆さん一体どうなってるんだ!?

11月 今あえて中国について語る

以前にここでも書いた中国映画、寧浩監督の『黄金大劫案』を観ましたよ、輸入DVDで。ハラハラドキドキの展開で泣ける！ 例えるなら中国版『イングロリアス・バスターズ』。今年最高と言っていい面白さでした。いわゆる「抗日映画」では「日本人=悪者」的な描き方をされるわけですが、「日本全体を悪」とするのではなく「日本軍の中の悪い奴」を敵として描くことで、日本人にも楽しく観られる…と思うんですが、日本公開してくれたりしないだろうか。この映画にその敵の日本軍副官役で出演している友人の俳優・北岡龍貴さんですが、その後も中国の大作ドラマ『大金脉』、『辺城春秋』と立て続けに渡中して出演の大活躍！ そして『黄金大劫案』公開後に寧浩監督の宴に招かれて再会を果たしたそう。例の反日大暴動がニュースになっていた頃、同じ映画人として友情を確かめ合ったとのことでした。

連日報道で「領有権」や「反日感情」がどーしたこーしたと、なんともキナ臭い空気が漂う昨今の日中情勢。イデオロギーのことをここでことさら取り上げるつもりもないですが、中国との関係ということで言えば、HJ読者にも無関係ではいられない件があります。そうですフィギュアです。「世界の工場」と言われる中国。大量生産のPVC（ポリ塩化ビニール）等のインジェクション成形品から少ロットのポリストーン完成品等々、日本で販売されている「フィギュア」と呼ばれる商品のほとんどが「Made in China」である事実。95年頃のマクファーレン・トイズをきっかけとしたアクションフィギュアブーム、その後の食玩ブーム、そして昨今のリボルテックやｆｉｇｍａ等のミニサイズアクションフィギュア等々、中国生産によって成り立っている。その理由の一つは工賃の安さ…すなわち日中間の経済格差。フィギュアは「塗装」など手作業に頼らざるを得ない部分が多く完全

機械化が難しい。輸送などのコストや他のリスクを考えても国内ですべてを生産するより圧倒的に低コストでできる。しかし「安い」というのはそのひとつで、もうひとつの大きな理由は技術的に優れているということ。金型、成型、組み立て、塗装などなど各工程において日本の（しかもマニアックな）うるさい注文に応えて質の高い商品を作る技術がある。もちろん、中国にも良い工場もダメな工場もあるので一概には言えないですが、ことフィギュアにおいては「Made in China」は信頼のブランドと言っていいかもしれない。ところが、だんだんその事情は変わってきた。最近「フィギュアの価格が上がった」と感じている方も多いと思います。もちろんそれにはいろんな事情があるのですが、大きな起因の一つが中国での工賃が毎年上がってきているということ。毎年10％づつ上がっているなんて噂も聞く。食玩など10年前の価格ではとてもできないらしい。…ということで中国依存度の高い日本のフィギュアですが、今回の暴動等で工場が止まったり輸出がストップしたりなどの影響は今のところ聞こえてこないので、その点については安心していいようです。中国に関しては海賊版フィギュアなどの別の深刻な問題もあり今後も動向を見守りたいです。

　などと書いていたら、玩具メーカー・オビツ製作所の尾櫃社長の訃報。日本のフィギュアの中国依存が進む中、尾櫃社長はスラッシュ成型（ソフトビニール）において「Made in Japan」にこだわって長年戦って来られた「フィギュア界の侍」でした。心よりご冥福をお祈りいたします。

12月 師走の師は、原型師の師。

年末ですよ！ 師走ですよ！ 4月から始まる新番組アニメ向けにキャラクターフィギュアの商品原型製作に追われている方々やら、2月のワンフェス用のガレージキット原型作業に猛ダッシュの方々やら日本中の原型師がにわかに慌しくなる頃。「師走」とは「原型師が奔走するほど忙しい」の意味とは昔の人はよく言ったものであります。

本誌が発売される頃はちょうど終わっているタイミングですが、この原稿を書いている時点ではクリスマス商戦真っ只中。子供たちのクリスマスプレゼントの人気商品がｉＰｈｏｎｅやｉＰａｄなんて聞くとちょっと寂しくなったりもしますが、家電量販店の玩具売り場に立ち寄ってみれば、家族連れで賑わっていたりして、駄々をこねて泣いてる子供なんかを見たりするとちょっとホッとします。

ご存知の方も多いと思いますが、スーパー戦隊とプリキュアが番組改変期の4月でなく2ヵ月前の2月に新番組を始めてしまうというメインスポンサー・バンダイ様の巧みな戦略。クリスマスやらお正月のお年玉やらお子様たちの懐がＨＯＴなうちにシリーズクライマックスを放送しキャラやらメカやら総登場で盛り上げて、玩具業界の年末商戦にダイレクトに拍車をかけて、番組終了とともにご卒業ご卒園。そしてお子様がご入園ご入学するお祝い需要の頃にはスッカリ新アイテムに入れ替わっているという鉄壁の作戦。1979年の『バトルフィーバーＪ』の頃からすでに2月放送開始だったというから「30年以上続く伝統の必勝商法」…と思いきや、さにあらず。実は同時間枠だった前番組のアニメ『闘将ダイモス』が打ち切りで早期終了になったのを受けてピンチヒッター的に放送開始…という偶然の産物だったらしい。アニメと特撮の表現は違えど、長浜ロマンシリーズの『コン・

バトラーV』や『ボルテスV』における「5人の若者が巨大ロボに乗って戦う」って、バトルフィーバー以降の戦隊シリーズに受け継がれてる…なんてことを考えればとても興味深い。

話は変わって、この時期は、報道やバラエティで「今年を振り返る」的な企画多し。そこで久々に目にする「スギちゃん」さん。流行語大賞受賞なんだそうだ。日本中を席巻していた「ワイルドだろぅ」の大ブームも、随分前の印象なのに今年の春頃だというからビックリ。歳のせいか時間の経つのが早すぎる。そして、ここに来てバンダイとタカラトミーという2大玩具メーカーからそれぞれスギちゃん関連の玩具が発売された。企画通して原型作って金型作って量産して…と、どうやっても数ヵ月かかってしまうという、悲しきフィギュアのタイムラグ。しかしながら、年末のこの時期にきっちり間に合わせるのはさすが大手玩具メーカー。何よりタレント等の似顔のフィギュアや玩具が商品化されるのは自分にとってはとても良いこと。次の機会にはぜひ自分にもそんなお仕事よろしくお願いしますよ、各メーカー様！

さてさて、年末といえば今年も開催されることとなりました恒例のバンプレスト フィギュアコロシアム「造形天下一武道会」&「造形王頂上決戦」！　原型師たちが『ドラゴンボール』『ONE PIECE』のフィギュアを作り、投票によってそのナンバーワンを決めるという大型企画。自分も昨年に引き続き、今年も懲りずに参戦してますよ。作ったのはスギちゃんと同じくデニムベストの（笑）あのキャラクターです。

樋口真嗣（映画監督）

寄ると触ると事件ばかりだった。

だが、どれも思い出すだけで楽しくなってくる。人徳だろう。すでにフィギュア原型師としてのキャリアがありながらそれをかなぐり捨てて上京しずっとやりたかったという特撮美術の現場に飛び込んできた。

『ガメラ大怪獣空中決戦』の時のコンピー事件。

『ガメラ2 レギオン襲来』の時は脅威の新生命体「ポリメン」に変身。

『ウルトラマンティガ』では佐川《サガ》っちょの前で寒河《サガ》っちょ事件。

私、寒河江弘さん、ゴジラ、織田尚さん（瀬戸内プロ）、尾上克郎さん（特撮研究所）2019年9月 東宝スタジオ正門ゴジラ像にて

デザイナーになった『さくや妖怪伝』の時は街の全景を一時間で飾る電光石火のタイムアタック。

それからはTVチャンピオンに挑戦し、一躍時の人となり、映画からは離れていったけど、それでも年に何回は会っていろんな話をした。映画のこと、怪獣のこと、現場のこと。そしてこれからやりたいこと。

大学で教鞭を取りイベントを催し、後進を育て活躍の場を作り、映画やテレビでは実現しにくかったオリジナルの〝怪獣〟を連作したり、とさらなる孤高の蒼穹に戦場を移し、駆け登っていった。

当時撮影中だった『シン・ウルトラマン』変身の瞬間を作りたい、と頼まれた私がこっそり撮った齊藤工くんの写真を枕元に置いて道具一式を持ち込み、最後の最後まで病室で原型を作っていたそうだ。

とても嬉しいけど、間に合わなかったのは本当に残念で悔しいよ。

そういえば、ワンフェスで黒澤明と円谷英二の小さな胸像を作ってそれぞれの渾名を冠してワンセットにして「kamisama and Ten-noh」と称して販売してこれをパソコンのモニターに載せておくだけで不思議なことに一発オッケーが出るんだよといういかがわしい商売を企んで原型をお願いしてたんだけど、撮影所までの行き帰りのバスの中で原型作ってたらある日なくなっちゃったという怪現象があったよね。あれの続き、そっちにモデルがいるはずだから資料なしで作れるけど、本人がいるなら胸像のありがたみがないのかな？

サガエディズ

君よ粘土の河を渉れ！

2013年

1月　We are alive!

　あなたがこのコラムを読んでいるということは、マヤの予言が外れた証。人類絶滅せずにホントに良かった！ということで、やって来ました２０１３年。個人的に今年はいろんなことが始まるんですが、そのひとつ大きなことが「大学でフィギュアを教える」ということ。4月より大阪芸術大学の短期大学部で教鞭をとることになりました。「造形」などのなかにフィギュアを含めて教える大学は過去にもありましたが「フィギュア」だけを専門コースとして教えるのはおそらく世界初なんじゃないでしょうか。果たして「フィギュア」が学問になりえるのか⁉ そもそも「フィギュア」って何なんだ？ 彫刻や造形・工芸と何が違うんだ？ 新年早々そんな自問自答が続く今日この頃です。

　昨年のこと、「Twitter上で『ドラゴンボール』のフィギュアの話題で知り合った方がロックバンドのプロデューサーとのこと。MY FIRST STORY（以下ＭＦＳ）というバンド（よかったらググってください）でこれも何かの縁と思ってＣＤ買ってみたらなかなかカッコイイ。ＬＩＶＥにも誘っていただいて、とてもオッサンが顔出す感じではないと思ってなんとなく遠慮してたんですが、先日行ってきました「HIGHEST LIFE PARTY SECOND CONTACT」@渋谷O-ＥＡＳＴ。いやもう大盛況。メインアクトのＭＦＳの他、AIR SWELL、BLUE ENCOUNT、BiS、THE RiCECOOKERS、（それぞれググってください）と縁のバンド（&アイドル）が矢継ぎ早に登場でそれぞれ大盛り上がり。例えが貧困極まりなくて申し訳ないですが映画『ＢＥＣＫ』のバンドバトルなあの感じの4時間。通された席が2階のエリアで猛烈場違い感も見下ろせばダイブ！ダイブ！ダイブ！のごった返した若者たちでとても降りられず「上で良かった…。」なんて（汗）。ひきこもりがデフォルトの原型師という職業（しかも、おっさん）、普段なら絶対行かない場所。もの凄いパワーをいただきました。

「フィギュア」と「音楽」。ほとんど接点が無いなか、無理矢理関わりを探すなら、自分ならミュージシャンのフィギュア原型仕事があったり、製品原型以外にも浜崎あゆみ「Together When…」やＥＬＴ「恋をしている」等々のＰＶで撮影用のフィギュア（人形）を作らせてもらったり…。それにしても音楽ってズルい。いい映画や演劇を観た時も思うことですが、同じ時間を共有する大勢の人をダイレクトに盛り上げたり感動させたりってフィギュアじゃなかなかできないこと。「比べるな」なんてお叱りの声をいただきそうですが、芸大で教科のひとつとして扱う以上、教える側は、絵画や音楽など他教科同様、芸術としていかに人に感動を与えられるかを考えなきゃ…なのです。そういう意味では音楽における「ＬＩＶＥ」にあたるのが、きっとフィギュアにおいては製作過程を見せる「実演」だったりするので、機会がありましたら全国どこへでも出向く覚悟完了。コレを読んでる模型店やフィギュアショップの皆様よろしくお願いします。

さてそのＬＩＶＥの話。自分の隣に若い男の子が座っていたのですが、対バンの４バンドの演奏が終わると同時にいなくなったと思ったら、会場が最高の大盛り上がりとともにメインアクトのＭＦＳ登場！　で、さっき隣にいた彼がそのボーカルのＨｉｒｏでビックリ!!でした。小さい身体でとてつもないパワー。彼らのことをよく知らずにここにいる自分だったんですが、検索してみたらスーパーサラブレッドでなおビックリ！（みんなも検索してね）「実は俺、あなたのお母さんのフィギュアも作ったことあるよ。」と、心の中で（笑）。

2月 今なぜか。実写巨大ロボ！

もういまさらな話ですが…。映画『パシフィック・リム』のトレイラーを、君は見たか！　特殊メイク出身のメキシコ人オタク監督ギレルモ・デル・トロの最新作にしてSF超大作！　深海より大怪獣が出現し太平洋沿岸の各都市は壊滅状態に！　人類は科学の粋を集め〝イェーガー〟と呼ばれる巨大ロボット兵器を開発し大怪獣との壮絶な死闘を繰り広げる！　って感じの内容なんですが、海外のサイトを見てみればそのイェーガーの図面が載っていたりして、それが『スーパーロボット　レッドバロン』の万国ロボット博覧会、あるいは『機動武闘伝Gガンダム』のガンダムファイトよろしく世界各国が独自のイェーガーを開発しているようでなかなか燃えるじゃありませんか！　ワイドショー的には「芦田愛菜ちゃんハリウッドデビュー」ばかりが報道されていますが、確実にHJ読者の必須教科になる予感であります。今夏公開予定、待ち遠しさが募ります！

ところで今、特撮巨大ロボはにわかに熱い。昨年コトブキヤさんからリリースされた「ガンヘッド」のインジェクションキットに次いで豪華版の資料本が発売され秋葉原のイベントは大盛況。１００％ミニチュア特撮で変形合体ロボが活躍するスーパーマリオラマ『Xボンバー』のデジタルリマスターDVD-BOXが発売されたり。まるで新作特撮モノでも作られそうな勢い。いや、作って欲しい！

自分はフィギュア原型師ゆえロボット系仕事のお鉢が回ってくる機会がなかなか無いのですが、２年くらい前に面白い仕事をさせていただいたのでその話を。造形会社ハウンテッドのボス・米塚尚史さんからマケット（雛型）仕事のご依頼で、アミューズメント系飲食店にて使用する大型の造形物とのこと。送られてきたデザインは某ハリウッド女優風のＣＧ画。聞けば雛型というより、それをスキャンして取り込んで、数ｍの巨大な女性型ロボッ

トを作るという今のご時世じゃなかなかないバブリーなプロジェクト！　何度かの監修を経て、へそから上あたりのモデルで高さ60㎝という大きめの原型を納め、自分の仕事は終了。それから一年ほど時が流れて…自分自身そのことをすっかり忘れていた昨夏のこと。突然目の前に上半身は半裸のオネェちゃんながら下半身はメカ丸出しという高さ3m以上のロボット2体を載せたトラックが!!!!!　周囲も騒然でみんな写メ撮りまくり。「出たーっ！」と思わず叫んでしまう強烈インパクトでした。…ということで、昨年夏、行ってまいりました、話題のその「ロボットレストラン」へ。新宿歌舞伎町という立地から怪しいお店と思われがちですが、さにあらず。レベルの高いダンスと煌びやか過ぎるＬＥＤ電飾がメガ盛りの一級エンターテイメントのライブショー！　搭乗型の本物巨大ロボが動く姿は必見です。聞けば、来日したティム・バートンやＪ・Ｊ・エイブラムスも観に来たらしい。あなたが26歳以上（↑謎の年齢制限）ならオススメ。竜宮城気分が味わえる愉しい1時間でした。

さて、巨大ロボと言えばアニメの専売特許のイメージ。言うに及ばず、名作が星の数ほどあるわけですが、特撮者の自分にとっては「ロボは仇」（笑）。70年代、第二次怪獣ブームを終焉に追いやったのはマジンガーやゲッター。わが軍勢はメカゴジラ投入も敗退。その後戦隊ロボが唯一善戦しているくらいで、ガンダム、マクロス、エヴァ…と30年以上アニメロボの天下が続いている状態。そう、今こそアニメから巨大ロボを取り戻すときが来たのだ！　もう一度言う、日本も特撮ロボモノ新作映画切望！

3月　今年も夕張は熱かった！

2月21日～25日の5日間、北海道夕張市で開催された「ゆうばり国際ファンタスティック映画祭２０１３」に行ってきました！…って、この連載の第1回もゆうばりファンタのことを書いたので、即ち連載一周年！　ＨＪ誌の片隅でこっそり続けて13回目、皆様応援（リアクション等）よろしくお願いしますよ。

今年のゆうばりファンタ参加目的は３つあったのですがひとつ目は、ここでもちょくちょく書いてる自分たちの自主映画イベント「鉄ドン」がなんと公式プログラムとして映画祭内イベント開催させてもらうことに！「鉄ドン」とは20年前に自分らが始めた3分程度の短編自主映画とコントやライブなどの出し物を矢継ぎ早にやるお笑いイベント。国際映画祭でやらせてもらえるだけでも光栄なのですが、映画祭のトップバッターとして、開会式直後の初日夜の開催！なんて喜んでいたら、裏プログラムはメイン会場で上映のタランティーノの『ジャンゴ 繋がれざる者』ですって。もう、『裏番組をぶっとばせ』の勢いで臨みました。昨年末から準備を始めて、『劇場版 電人ザボーガー』や『ウルトラマンサーガ』のＶＦＸで知られる鹿角剛監督はなんと３Ｄ映画（ちゃんとお客さん全員にメガネを配った）で参戦だったり、他にも『ネオ・ウルトラＱ』田口清隆監督や『ミレニアムバンブー』杉下淳生監督、また初期からのメンバーの青井達也監督やおかひでき監督等々プロアマ新旧男女問わずの35人の監督が集まって50本近い映画をイベント内で上映。ライブもせろりあんさんや映画監督の小林でびさんらの歌あり、華千夜こと鈴木景子さんのアクロバットショーあり、もちろん星野久雄＆監督軍団によるコントありの盛りだくさんのバタバタながら何とか無事終了。お客さんに喜んでもらえたんじゃないかなと自負です。近い内に東京＆大阪で凱旋開催をと考えているので、その時はまたよろしくお願いします！

ふたつ目の理由はインターナショナル・ショートフィルム・ショウケース部門の審査員を務めること。田口清隆監督と『冷たい熱帯魚』『恋の罪』で知られる女優の神楽坂恵さんと自分の3人。作品は20本で力作揃い。ジャンルや表現が多種多様で、また賞の部門のカテゴリーも曖昧で審査はかなり難しいものでした。結果は事務局主導で出てしまった感があるのですが、田口監督と意見も一致して閉会式の30分前ぐらいに急遽出すことになった審査員特別賞を、香港から参加のリー・チャン・マン監督『伝説の大魔神VSエイリアン』に。いやこれぞゆうばりファンタで評価すべきバカ映画。ひよこみたいな可愛い風貌の巨大エイリアン対防衛軍の巨大ロボ&巨大関羽！文字にしてもなんだか全く分からないでしょ（笑）。他にも八幡貴美監督の『色声』、ウェイン・リン監督『復讐人』、パトリック・バゴ監督『アントワーヌとヒーロー達』等々残念ながら賞には繋がらなかったですがアイデアと情熱に溢れたむちゃくちゃ面白い映画もあり、もしチャンスがあったらぜひ観ていただきたいです！

三つ目は参加映画3本がプレミア上映されること。宇治茶監督の劇メーション映画『燃える仏像人間』（2013年5月18日劇場公開）では造形、大畑創監督『Trick or Treat』（スカパーオンデマンドにて無料配信後4月にチャンネルNECOで放送）ではプロップ製作。それと、飯塚貴士監督のフィギュア&ミニチュア映画『NINJA THEORY』では造形協力として人形のヘッド等製作で参加なのですが、上映後の舞台挨拶にも登壇しました。飯塚監督、女優の清瀬やえこさん、同時上映の『メロディ・オブ・ファンハウス』の秦俊子監督、女優の佐伯日菜子さんに加え、『NINJA～』主演で俳優の「熱い男」斎藤工さんも急遽夕張に駆けつけ、ホントに豪華なティーチインとなりました。

夜は連日そこで知り合った監督や俳優、スタッフの皆と朝まで飲み会。翌朝また映画を観て、また現地で即興で映画を撮ったり、という地獄のような天国の日々（笑）。特に今年は報道されるほどの大雪だったのですがまさに真逆の熱い映画祭でありました！

4月　いわゆる、おやじホイホイ

先日、アニメ業界にいる知り合いと電話で「今何が流行ってるの？」なんてザックリとした質問をぶつけてみたら「ガルパンですよ」なんだそうだ。「知ってる！」そもそもアニメには疎く、アニメ系情報は本誌からぐらいの自分ですが、これぱっかりは耳に届いていた。何より周りの模型関係の先輩方々が騒がしい（笑）。それこそ昔はプラモケイ（プラモデル）といえば、ミリタリーか自動車。自動車の模型を作っていた子供は大人になると実際の自動車の方に興味をアップデート出来たりするんですが、流石に戦車には自衛隊にでも入らないと本物に乗る夢は叶えられず…。さらにはガンダムを始めとするキャラクタープラモの長期政権により、虐げられる一方。今でこそ本誌でもガンプラに圧されまくって後半の数頁の扱いでありますが、自分が子供の頃は、町の模型屋さんじゃいわゆるキャラクター模型は子供向けのイロモノの扱いで戦車、戦闘機、戦艦等が王道中の王道。GK（ガレージキット）を始めた世代の自分らの先輩方は、まさにその洗礼を受けてこられたので、「時は来た！」とばかりにやたら声がデカい（笑）。って、自分はミリタリーも全然詳しくないんですが、模型業界、しばらくは戦車ブームが続くんでありましょう。

「オヤジのオタク趣味」と「女の子」の食い合わせ。そういえば、ちょっと前に流行った『けいおん！』もそんな感じだった。どこかの書き込みで「平沢進フィギュア作れ。」みたいなのを見つけて、「何で今、P-Model？」なんて思ってたら元ネタが『けいおん！』と知って、そこではじめて認識した次第。マニアックな楽器趣味と70～80年代の音楽。そもそも当時ネクラだおたく族（昔は族が付いてた）だと言われ、周りから理解されなかった趣味を、キャラクターとはいえ可愛い女の子が真面目に一生懸命向き合ってる姿を見てメロっとなってしまうのも頷ける。大好きな映画、ケラリーノ・サンドロヴィッチ監督の『グミ・チョコレート・パイン』の中で、主人公の男の子がカルト映画好きな女の子と石井聰亙オールナイトを観に行くなんてシーンがあって（詳細はぜひDVDで）、その甘酸っぱさたるや思い出すだけで唾液腺をグイグイ刺激するほど自分にとっては直撃シチュエーション（笑）でメロメロ。そう、おやじはカンタンなのです。

　このヒットの法則に従えば「おやじの理解されないオタク趣味」×「カワイイ女の子」でドンドン新しいコンテンツが生み出せそう。今でこそ、平成ライダーなんかは婦女子の皆様に受け入れられていますが、ゴリゴリの昭和特撮を語るのはどうか。「ゴジラの造形は利光貞三より安丸信行のが可愛い」とか「昭慶は爆破で平台浮かしてナンボよね」とか言いながら怪獣映画を撮る女の子たち…とか言ってたら、河崎実監督の『地球防衛ガールズP9』でアイドルの防衛隊員が「成田デザインの怪獣と戦いたい！高山造形でもいい」みたいな台詞を言って不覚にも吹いたのを思い出した。また「鉄子」なんて女性の鉄道ファンも珍しくなくなったものの、これが鉄道「模型」ファンとなったら少なくとも自分はお目にかかったこと無い（いらっしゃったらゴメンナサイ）ので、レイアウト（鉄道模型におけるディオラマの意）造りに勤しむ…とか。他にも、切手集め、釣り、ラジコン、骨董収集、パチンコ、盆栽…ってオタクでもなんでもなくなってきた。とにかく女子には理解され難いおやじ趣味＝ネタは、まだまだ埋蔵量かなりあるわけで、この流れ止まらないな…なんて。

5月　マスコットフィギュアは奥が深い

ということで、この4月より大阪芸術大学短期大学部の客員教授に就任。新しく始まったフィギュアアーツコースにて、カリスマ講師モデラーの藤田茂敏先生とともにフィギュア製作を学生に教えてます。大学は兵庫県伊丹市なんですが、東京の自宅から新幹線を利用しても5時間、すなわち往復で10時間通勤という重労働を経て毎週一度教えに通っております。まだ慣れていないので、正直もうそれだけでグッタリ（苦笑）。同時に4年制の芸術学部の方でも同じコースが始まったんですが、あちらは海洋堂の宮脇社長が教授で、かつてTV番組『TVチャンピオン』のフィギュア王選手権で決勝Rを戦った「東海村原八」こと若島康弘さんが講師として指導されています。我が短期大学部のカリキュラムは2年間と芸術学部の半分。とにかく、時間がもったいないのでイキナリ実践でフィギュア製作の実習をやってますよ。

まずは入門的に2～3頭身のキャラクターを自分でデザインして自分で製作するという課題。例えば「ねんどろいど」や「ワールドコレクタブルフィギュア」等々、今もなお人気のマスコットフィギュア。また、昨今のゆるキャラブームで最初から着ぐるみ等の「立体化」を前提としたキャラクターデザインを求められたりと、今学ぶ意義は大きいのでは？　というチョイスでした。

「マスコット」や「SD（スーパーデフォルメ）」などと呼ばれる頭を大きくアレンジしたフィギュアの歴史は古く、例えば頭がユラユラ揺れるボブルヘッド人形なんかは19世紀からあるという…っていうか、埴輪や土偶をカウントしてしまうなら有史以前からある（笑）。リアルなフィギュアと違って、総じてサイズは小さめで、またその可愛らしいプロポーションは、まさに「集めたい」という欲求を刺激し、コレクターズフィギュアの定番として不動の人気アイテムと言えましょう。自分が子供の頃に集めたのは、なんと言っても「怪消し」。ウルトラ怪獣の消しゴム風ミニフィギュア。まさに立体の怪獣図鑑、箱いっぱいに集めました。また、学校へ持って行って机の上でトントン相撲！　いやあ懐かしの昭和です。この流れは80年代のキン消し（キン肉マン消しゴム）ブームに引き継がれ、現在のハイクオリティなガシャポンフィギュアの礎となるわけです。いわゆる「フィギュア」が特別視され認識され始めたのは80年代中頃から始まったガレージキット（GK）が発端だと思うのですが、そのGK創世記からすでにマスコットアレンジのGKは存在していました。例えば、海洋堂では東宝や大映、円谷の怪獣のGKが、ガイナックスの前身であるゼネラルプロダクツからは、キューピー人形のようなポーズとプロポーションで東映ヒーローなんかがたくさん頒布されていました。その後の「SDガンダム」は、マスコットアレンジでリデザインすることでキャラクター性を持たせ、本編のガンダムとは全く別の新たな世界を構築したり、また『ポケモン』なんかは「集める」ことを前提に最初からマスコット的にキャラクターデザインされていたり…と、これらはほんの一例ですが、キャラクターフィギュアの一翼を担うどころか、大きく重要なポジションを占めていることが分かります。

と、こういう「歴史」を授業で教えているわけではなく、ファンド（石粉粘土）を使っての実習真っ只中。学生たちは初めて扱う道具や材料に悪戦苦闘も面白いデザインのフィギュアがたくさん生まれつつあります。若い彼らにとっては知識より体験が何よりの財産。「頭でっかち」にならないように。

6月　俺のヒーローその①：70年代編

5月、長嶋茂雄が国民栄誉賞受賞で新聞やTVのニュース番組ではこの話題で持ちきりだった。「誰もが納得する高度経済成長期の日本の国民的ヒーロー」なんだそうだ。もちろん否定するつもりは無いですが、子供の頃から「野球」をまったく通ってこなかった自分にとっては、正直ピンと来ない。それより手塚治虫や石ノ森章太郎、あるいは円谷英二、岡本太郎だろという感じ。世界的に活躍してしかもニックネームがゴジラの松井秀喜の受賞の方がまだ納得できる…という俺、ひねくれオヤジか。長嶋ファンの皆様ゴメンナサイ！ そもそも自分にとっての長嶋茂雄といえばご本人よりもアニメキャラクターの印象だ。ひげ剃り跡は、塗り分けブルーグレー。パンチ一発で番場蛮をぶっ飛ばしそのままコンクリートの壁も突き破ってしまう『侍ジャイアンツ』のあのシーン。それで無事な番場蛮もすごいけど、そのパンチ力たるや野球キャラ止めて対悪の組織方面へ転向をお勧めしたいほど（笑）。（って、今思えば国民栄誉賞はぜひ大塚康生さんにぜひ！ だ。）

ということで、自分の子供の頃の70年代は、ヒーローといえばスポーツ選手や俳優など実際の人物より圧倒的にアニメや特撮ドラマの主人公のことだった。

その頃、世は正に「変身ブーム」。新マンからエースにタロウ、仮面ライダー、スペクトルマン、ミラーマン、シルバー仮面、ライオン丸、変身忍者嵐、バロム1、キカイダー、サンダーマスク、アイアンキング…等々まだ多数で、全部挙げればこのコラムの文字数がそれだけで全部埋まってしまうほどでホントにキリが無い。アニメだってデビルマンにガッチャマンにキューティーハニー等。1971年からの2~3年の間に本当に大量の変身ヒーローが生み出され、ちびっ子（すなわち当時の俺）は文字通りガッチリテレビに釘付けの糊付けだった。

そんな中でも新マン（円谷的には「ジャック」）と仮面ライダー1号はもう別格だった。

「夢が叶う」というビールのCMが話題ですが、5月14日まさにその夢が叶いその「ヒーロー」に会えた。DeAGOSTINIが刊行する週刊『スズキ ハヤブサ GSX 1300R』（6月18日創刊されたばっかりですので興味のある方はぜひ！）。その記者発表会見にゲストとして登場したのがわれらが本郷猛：藤岡弘、さん！自分は、そのサプライズとしてハヤブサ（バイク）の模型のサイズに合わせた1／4スケール（450㎜。デカい！）で藤岡さんフィギュアの依頼があり製作したのでありました。急遽来た仕事だったので自分が捻出できた製作時間はたった5日間。当然、徹夜を重ねて当日ギリギリの納品となり、期せずして記者会見に立ち会うことに。会見中のサプライズにも喜んでいただき、これはチャンスと思い終了後、無理言って楽屋へご挨拶。すると「いやぁ～作った御本人に会えるとは思いませんでしたよ！感激です！」と藤岡さんから言っていただき大恐縮。その後も「写真撮りましょう」＆握手攻め等々、およそ30分間自分のためだけにいろんなお話しをしていただき、まさに至福の時間。藤岡さん、身体も器もデカいまさに「ヒーロー」そのものでした！フィギュアやっててよかったなあ…（涙）。

そして、5月はこれだけではなかった。場所はホビージャパン編集部、BSフジの番組『等々力ベース』の収録。自分にとっての偉大なヒーローが目の前に！この顛末は来月「俺のヒーローその②：80年代編」に続く！乞うご期待。

7月　俺のヒーローその②：80年代編

世間的には80年代はヒーローが不在だった。空前のアニメブーム。しかし、ガンダムもマクロスも主役は英雄ではなく悩める少年。怪獣や巨大ヒーローなどの特撮モノもほとんど作られなくなる。しらけ世代だ新人類だと言われた若者たち（ちなみに自分は新人類世代）。熱血がダサいとされ、誰もが憧れるリーダーが見られなくなった。しかしながら、自分にとってはインプットという意味で一番熱い時代だった。今自分の血肉になっているものはほとんどがこの頃のモノ。鴨川つばめ、江口寿史、鳥山明、ＹＭＯ、スネークマンショー、探偵物語、ジョン・ランディス、モンティ・パイソン、劇団☆新感線…。皆、面白くてトンガッていて本当に笑えた。そう、「笑い」がものすごくカッコ良くなった時代だった。空前の漫才ブーム、萩本欽一がＴＶ視聴率を稼ぎ、さらには台頭するとんねるずやダウンタウンなどのお笑い第三世代登場。ちょうどその頃家庭用のビデオデッキも普及してウチのＶＨＳは映画とお笑いだらけ。…とそんな時代。あらゆる「笑い」の頂点にいたのは紛れも無くビートたけしその人だった。自分が最初にフィギュアと呼べるものを作ったのはタミヤの兵隊人形の改造で怪獣だったと思うのですが、初めて作った人物フィギュアはその人形改造でタケちゃんマンでした。先日実家に帰った時に捜索してみたんですが、それを入れていた箱が今年になってから親に捨てられていたと知り大ショック（30年ほったらかしだったのに、よりによって今年か!!と）。と、その位タケちゃんマンが大好きだったのですよ。思いつきですが『タケちゃんマン』、『ダークナイト』みたいなガチテイストで映画とかどうだろう。タケちゃんマンは松山ケンイチ、ブラックデビルはもちろん剛力彩芽で。

と、馬鹿話は置いといて。自分にとっては、とても思い入れの深い収録だったＢＳフジの番組『たけしの等々力ベース』。本誌でもお馴染みの野本憲一さん、山田卓司さんとともに出演させていただいたのですが、皆様ご覧いただけましたでしょうか。コマネチやたけしさん胸像などの番組で使用するフィギュア3体を一週間で原型、複製、塗装と準備でほぼ寝ずフラフラで挑んだ収録だったんですが、タカさんや枝豆さんも、もちろん昔っからTVで見てた憧れの芸能人なのに、さらにはあのたけしさんが現場（しかもホビージャパンの会議室）に入られた時は、もう脳内真っ白。仲良くしていただいているなべやかんさんが居なかったら、精神的にどうなっていたか分かりませんでした（笑）。実際やかんさんには振っていただいたりフォローしていただいたりずいぶん助けていただきました。ありがとうございました！　そして休憩時間にたけしさんの楽屋にお邪魔して、フィギュアの黒いベースに銀のマーカーでサインをお願いしたのですが、その時のエピソードを。ちょうど周りにマネージャーさん等が居なく、キョロキョロ何かを探されているたけしさん。すると、自分の黒革の眼鏡ケースをポケットから取り出してマーカーでケースにササッと落書き！そう、サインをしっかり書くために同じ黒のケースに試し書きをしてくださったのです。収録後、一緒に写真に写ってくださったんですが、それまでの準備の苦労も綯い交ぜになって泣いてしまった俺（46歳）。たけしさん、まさにTVの虚像ではなく本物の偉大なヒーローでした。本郷猛、に会ったわずか2週間後にビートたけし、という連続「Wたけし」だった最高に幸せな5月。先月もおんなじこと書きましたがフィギュアやってて本当に良かったなあ。

8月 祝！ｆｉｇｍａ５周年。

前号の※『パシフィック・リム』作例はいかがだったでしょうか。製作文内で手伝ってくれた学生たちの名前を記したんですが、ひとり、藤井崇文君の名前が抜けてた大失態。藤井君ごめんなさい！　そして改めてありがとう！　さてその『パシフィック・リム』。現在日本でも公開中なので、まだの人は、今すぐ劇場へダッシュヨロシクです。作例で使ったのは米国ＮＥＣＡ社のフィギュアだったんですが、イェーガーもＫＡＩＪＵも造形的には素晴らしい！…んですが、可動箇所がいっぱいあるのにほとんど可動しない。全然アクションフィギュアじゃない！　マクファーレントイズのブームの頃みたいにブリスターのまま飾ってる人って今いらっしゃるのか分かりませんが、遊ぼうって思ってる人には猛烈フラストレーションじゃないだろうか。って、おそらくこんなこと思うのはリボルテックやｆｉｇｍａに慣れてしまった日本人の贅沢な冀求なんでしょう。

先日、そのｆｉｇｍａのトークライブがあり、お客さんとして行ってきました。「５周年＆ナンバー２００案内記念　ｆｉｇｍａアニバーサリーナイト」。ｆｉｇｍａ設計者（デザイナー）である「業界の宝」浅井真紀師匠や安藝貴範さん＆ＭＡＸ渡辺さんのＷ社長、他マックスファクトリーの原型師さん等々、開発スタッフの皆さん大集合の5年間のｆｉｇｍａ開発史。会場の新宿ロフトプラスワンぎっしりのお客さんで大盛況でした。トーク中でも触れられてましたが、そもそも話は２００６年に遡るわけです。その年開催予定だった海洋堂主催のワンフェス20周年イベント「ＷＦ20（トゥエンティー）」。センム曰く、「ラグジュアリー」なイベントのはずが、その高額参加費にお客さんが集まらずいきなり中止発表。参加するつもりで会場内で催す企画を準備中だった自分と浅井師匠、電話で話しているうちに、怒りと呆れと悪ノリが高じて「勝手に俺らでやろう」と本来のＷＦ20の

※月刊ホビージャパン2013年9月号

開催日だった3月19日にロフトプラスワンのスケジュールを押さえてやったイベントが「ＷＦ☆20（ニジュウ）」。そこにイベントのコメントをお願いしただけだったのに、押しかけ的にやって来…もとい、スペシャルゲストでお越しくださったのがＭＡＸ社長・安藝社長でした。経緯詳細略ですが、その「ＷＦ☆20」出演をきっかけに浅井師匠とＭＡＸ社長が急接近。ちょうどその年、海洋堂では山口勝久さん原型による可動フィギュア、リボルテックが発表された頃で、そのカウンターパワーとして開発されたのがｆｉｇｍａだったという経緯。長くなりましたがそんなことから、度々気を使って外部原型師として自分を呼んでくださり、過去「マイケル・ジャクソン」「小林可夢偉」、発売予定の「ブルース・リー」原型で参加させてもらいました。他、リボ（バットマン）にアーツ（デストロイア）と海洋堂、バンダイとやってるのは俺だけだ…と思ったら竹谷さんがいた（汗）。あとよくネットで「頭部原型／寒河江弘」と書かれてますが、頭部だけだったのは「●肌●」だけで、一応毎度全身作ってたりします。可動フィギュアはチーム戦なので、さらに浅井師匠やＭＡＸファクトリーの凄腕原型師さんの手が加わり製品になった段階ではかなりブラッシュアップされていますが。

それにしても5年続いて２００体リリースってほんとすごい。トークライブでの開発秘話も単にｆｉｇｍａだけの話にとどまらず、ここ数年の日本での1／12アクションフィギュア全体の歴史が語られているようで濃厚でした。これからも10年20年と新たな歴史を創っていっていただきたいと切に。そして…たまにまた呼んでやってください。最後にＧＳＣご卒業されたミカタンさん、本当にお疲れ様でした！

9月　まさに体感！

7月に米国で毎年恒例のビッグイベント「サンディエゴ・コミックコンベンション」。10年以上前自分も一度だけ参加したコミコン。ここ数年ワンフェスと日が被っていたのですが今年はズレて模型関係の知人も何人か参加していた模様。羨ましい！今のご時世ネットの力でいろいろ情報が入ってくるので困ります（笑）。気になるのは、来年公開予定のハリウッド版『ゴジラ』。公開されたマケットは、ファンには賛否両論いろいろあるようですが、痩せたトカゲの化け物ではなく、ズシッと重量感のあるまさに「怪獣」になっていて、アメリカ人もやっと分かって来たなと。他、『ゴジラ2000』のスーツなどさまざまな展示の他に大掛かりな体感アトラクションもあった模様。展示を見ていたら突然、緊急事態的演出とともに「こちらに避難してください」と警備員にビルのオフィスの一室を再現した部屋に通されドアを閉められる。すると、大音量の地響き（足音）が近づいてくる！そして、窓外に目を向ければゴジラの巨大な頭部が!! さらには大咆哮！…実は外の風景だと思っていたその窓全体が巨大なスクリーンという仕掛け。これは盛り上がっただろうな！と羨ましさが募ります。

さて！先月末の某日、自分は名古屋にいました。映画館、中川コロナシネマワールドで『パシフィック・リム』の話題の4DX上映を体感してきましたですよ！話はさらに遡ることその数日前、映画監督の樋口真嗣さんとガレージキット「ウィーゴ」などで知られるモデリズムの小林和史さんのネット上での「名古屋の4DX上映をジャックしましょう」的やり取りに割り込む形でオレもオレもと便乗させてもらったわけですが、当日はこの映画を観るために東京大阪等各地から名古屋に集結した皆さん総勢十数名！もう祭り状態です！ここで4DXの説明。よくテーマパークにある座席が揺れたりして映像が流れる十数分のアトラクション、アレが丸々映画一本分…すなわち2時間くらい体感できるという代物で、これ、現在全国でここだけなのです。正に「3Dを超えた最新型上映システム」の看板に偽りなしで、映像に合わせて座席がブルブル振動するだけじゃなく、ガッコンガッコン揺れる！前後上下左右に本当にポップコーンが宙に浮く程にそれはもうガッコンガッコン！（笑）それだけじゃなく、映画の中の事象とリンクして座席の前から風やら水しぶきがブシューって！劇中で炎上すればスクリーン横から煙が吹き出し、爆発すれば劇場の後ろからフラッシュが！…って、賢明な読者の皆さんならお気づきでしょう。コレってまさしく『パシフィック・リム』を観るための上映システムなのだ！って、もう断言ですよ！気分は正にイェーガーのパイロット、座席は俺のコクピット！搭乗気分MAX！十数名のブレインシェイクハンドで、上映後はまるで自分たちがKAIJUを倒してきたかのような充実感&結束感で飲み会に突入。「俺は違う！（←名言）」と各々俺リムを語り尽くす延長戦ものすごく楽しく、もうドリフトしまくり鼻血出しまくりの名古屋での一日でした。

これが載る頃は、劇場公開も終わっちゃってるんですが、ここで朗報！何と早くもリバイバルで中川コロナシネマワールド4DX上映に『パシフィック・リム』が帰って来るとのこと！10月12日～31日の20日間限定ですって！全国のイェーガーパイロット諸君！この時期名古屋に集結だ！年末には九州小倉にも4DX上映館が出来るらしいし、コレ全国に拡がって欲しいものですわ。

10月　7年前&7年後

話題的にはもう鮮度薄ですが、２０２０年東京五輪が決まっちゃいましたですね。２０２０年、『ＡＫＩＲＡ』やらケムール人やら昭和から視点で描かれた未来世界を現実味を持って意識した不思議感。しかしながら、７年後という距離感は「その頃自分はどうなんだ」というフィルターを通すと中々イメージし難く、かと言ってそれほど遠い未来というわけでもなく、絶妙の近未来だなあと実感した次第です。時間の長さは数字で表すことは出来ても体感という意味ではホントに人それぞれ、「7年後」の未来は具体的に想像できなくとも「7年前」を振り返ってみたらその距離はイメージしやすいんじゃないかということで、なんとなくタイムスリップしてみましょうよ。

７年前といえば２００６年。『電車男』の大ヒットで沸いた空前のアキバブームの翌年、「萌え」なんて言葉が芸人のギャグみたいな流行語だったり、今では普通に街で女の子が履いてるニーソもアニメやコスプレの世界のものだったり。ＡＫＢの人気投票が国民的なイベントになるなんて想像すらできなかった。当時「ヲタクが市民権を得た」と思っていた様な事柄が今視点から見てみれば随分ビザールだったんだと改めて感じます。

個人的なことを語るなら、２００６年と言えばやはり『ＴＶチャンピオン』なわけですよ。毎週その道の達人が集まってチャンピオン一人を決めるというＴＶ番組。中でも「和菓子職人」や「大工」等プロの職人がその技を競う系の回は見ていて本当に面白かった。ＨＪ読者にもお馴染みなのはやはり「プロモデラー選手権」でありましょう。年一ペースで何度も開催された人気シリーズで、最近「情景王第2集」を発売された山田卓司さんが勝ちまくってたのが印象的ですが、ディオラマ作家の金子辰也さんやねんどろいどのあげたゆきをさん等そうそうたるメンバーが出演されていました。話は戻って、そのプロモデラー選手権からさらに特化してアキバブームの煽りを受けて2006年に放送されたのが「フィギュア王選手権」で、自分も出たのでありました。「フィギュア製作の技を競う」という意味では技術系に違いないんですが、なんせアキバブームに乗っかり企画なので製作するのは萌えフィギュア。ディレクターからはやたら「萌え〜」って言わされ、競技開始の掛け声まで「ヨーイ、萌え〜！」（笑）。決勝を戦った東海村原八（若島康弘）さんとは、7年経った今、大阪芸大の四大と短大でともに先生をやっている不思議であります。と、懐かし話は尽きないわけですが、7年という歳月、意外にあっという間かもですよ。もしかしたら、紅白がボーカロイドで埋め尽くされたり、ホントに巨人が人食いにやってきたりとか…未来はどうなるか分かりません。

さて、東京オリンピック&パラリンピック、2020年の7月8月に東京臨海地域で開催されるらしいですがオタク的には「その時コミケはどうなるんだ」と話題になってます。コミケ以外にもビッグサイトはその手のイベントがいろいろなわけですが…どうでしょう、先に幕張に遷したワンフェスと日を近くしていっそパッケージにしてしまって、この際、どこか地方都市でやってしまうのがいいんじゃないかという提案です。「2020コミケ&ワンフェス」開催を巡って立候補3都市ぐらいがプレゼンテーションなんかイベント化したら逆に盛り上がるんじゃないか？　旅行代理店なんかも巻き込んで。どうでしょう、エライ人！

11月 始動！『ご当地怪獣プロジェクト』!!

行って来ました！ Ｚｅｐｐなんばの中川翔子ＬＩＶＥ「混沌Ｚツアー」最終日！ ということで、興奮覚めやらぬテンションで今月はそのことを！…と思ったんですが、その前に義務義務で伝えないといけないことがあるのです！ それが『ご当地怪獣プロジェクト』なのです！ 海の向こうじゃ夏に盛り上がった『パシフィック・リム』や来年公開の『ゴジラ』等々怪獣映画が大ブーム！ なのに怪獣の本場である我が日本国ではウルトラマンの劇場版がチラッとやってるくらいで、『ゴジラＦＷ』から9年、『小さき勇者たちガメラ』から7年、怪獣映画が作られてなくて何とも寂しいかぎり也。確かに怪獣映画は予算が掛かるので、映画会社も製作へのハードルが高いのは分かっちゃいるんですが、このままだと『ゴジラ（54）』以来60年続いてきた我が国の怪獣文化が滅んでしまう。…ということで、怪獣映画がハードル高いなら怪獣だけでもドンドン勝手に作っちゃえ！と始まったのがこのプロジェクト。企画者は、『衝撃ゴウライガン!!』特別協力の（株）第一通信社とフィギュア作家として知られる寒河江弘さん…って俺だ！（笑）

3年前の２０１０年に放送されたＮＨＫ佐賀製作のドラマ『怪獣を呼ぶ男（安藤大佑監督）』の劇中映画（といってもスチールのみ）で怪獣が登場するんですが、それが佐賀県の珍味として知られる魚のワラスボがモチーフの怪獣ワラボスで、それが『ご当地怪獣』を名乗った最初の怪獣と思うんですが、実はその特撮を手掛けた田口清隆監督の依頼で造形は自分がやらせてもらったのでありました。「これは面白い！」とは思ったにも関わらず、その後、紋別市のモンベモン等報告例はあるものの、ゆるキャラやご当地ヒーローやアイドルのようには中々拡がらない。そこで業を煮やしてしまった自分が「47都道府県」全部勝手に作ってしまえ！ってなのが昨年夏。

まずそれは面白い！　と第一通信社さんが乗ってきて、さらには『宇宙戦艦ヤマト2199』も絶好調の脚本家村井さだゆき等いろいろな方々が参画してくださって、一年以上の準備を経て先月の全日本模型ホビーショーの青島文化教材社さんブースにてやっと発表となったのでありました（その間に円谷プロLSSさんの怪獣ガノーが発表になって焦りました）。想いはいろいろあるんです。昨年東京都現代美術館で開催された「特撮博物館」。そこで文化や技術としての「特撮」の、デジタル化あるいは作品自体が作られにくくなった現状による危機感を先輩方と改めて共有したこと。実際に円谷英二監督の特撮を支えて来られた美術監督の井上泰幸さんや操演技師の鈴木昶さんが亡くなられたことによる喪失感。今はフィギュアみたいな小さい模型ばっかりやってる俺からではありますが、「特撮」を起点にして何か新しいモノを生み出せないかとずっと考えてました。さらには、昔ながらの怪獣ファンだけでなく、初心者やもっと言えば子供達に向けて発信することはできないか。米国シカゴで毎年行なわれている北米の怪獣ファンのコンベンション「G-FEST」。それに参加した時、老若男女初心者問わず優しく迎えて皆で盛り上がろうという空気にホントに感動した。マニアゆえとかくニワカを排除したがる昨今の風潮に危惧しつつ、間口が広いコンテンツにしたい！　フィギュア化はもちろん、最終的には映画まで持って行きたいと本気で思ってます。今後の動向をぜひ見守ってください！

…嗚呼、誌面尽きてしまったのでしょこたんは来月だ！

12月 中川翔子論

突然ですが、中川翔子先生はアイドル界最強だ。冬の時代を経て数年前から突如盛り上がったアイドル大戦国時代！　まさに群雄割拠である。乱立するグループアイドル。巨大陣営は兵力にものを言わせ日本全土を席巻。各地方都市にはそれぞれの領地を治める大名が如くロコドルが存在し、虎視眈々とセンター（東京）を目指す。「○○ドル」を名乗り一芸をもってあらゆるジャンルの隙間という隙間はすでにギッシリ埋め尽くされ、パーティングラインすら分からないほど。さらに地底には地上界を狙う無数の地下アイドルが蠢く。女優は歌い、歌手はグラビアをやり、グラドルはバラエティーでお笑いをやる転職バブル。BiSにコシノジュンコが加入した時はそのビジュアルに思わず吹き出してしまった。そんな中、まさに八面六臂にして王道の活躍をされる中川翔子先生。朝昼夜どの時間帯のTV番組にも対応できるMC力、力強く心に届く歌唱力、ブログ等での発信力、実際にプロとして通用している画力等々の多才。そもそも彼女の最大の武器といえる「オタクスキル」もかつては芸能人なら事務所が隠したがるようなマイナス要素だったモノ。それを「魅力」と呼べるまで昇華開拓した。そのパイオニアである桃井はるこ先生とともに表彰したい程だ。

ということで、先月の予告どおりの話題。13年11月4日、「中川翔子　混沌（カオス）Zツアーファイナル！Zeppなんば大阪」に行ってきましたですよ。前々から「LIVEが凄い」と聞いていて「ファンと言いつつLIVE行ったことないのはマズい」との使命感が「アラフィフのおっさんの場違いじゃないのか不安感」を上回り新幹線で大阪へ。会場に着いてまずびっくり、会場周囲を埋め尽くすコスプレ軍団！　そんな戦闘モードの皆さんに馴染めるだろうか的不安MAXの中会場内へ。いや要らぬ心配でした。始まるや最高潮。曲はもちろん、

中川先生の句読点ゼロの継ぎ目無しマシンガントークの素晴らしさ、気遣いとやさしさに満ち溢れていてこれぞ日本の「おもてなし」。いちげんさんの自分も温かく迎えていただきました。そしてお客さんたちがまた素晴らしい。誰が決めていつ練習したのか曲ごとに異なるサイリュームのイルミネーションマスゲーム。曲が変わって会場が青から一転真っ赤になったり、二階席から見てて大感動。「アンコール」の代わりに「つよがりだーよー～」とみんなで「つよがり（『べるぜバブ』ＥＤ曲）」の大合唱。再び中川先生登場に続きＳＰゲストで大槻ケンヂさん登場でふたりして「戦え！ヌイグルマー」歌った時は、もう俺泣いてましたですよ。寒河江弘47歳、行って良かったであります。押忍！

実は自分中川先生には2度お会いしてます。一度目は05年の映画『兜王ビートル』の現場にて。この映画で自分はキャラクターの造形をやっておりました。2度目は07年テレビ朝日のバラエティ特番『世界一キモいクイズ』の収録現場にて。確か中川先生初ＭＣの番組。自分は、はるな愛さんがクイズのお題で使う松田聖子フィギュアを作ったのですが残念ながら放送でカット！（涙）、しかしこの番組のスタッフだった方のお声がけで先日放送の『プレバト!!』出演が決まったのでした。中川先生ありがとう！　マジ、幸運の女神様！

さて新曲「さかさま世界」もむちゃイイし、来月25日には俺が大ファンの井口昇監督が手がけた主演映画『ヌイグルマーZ』も公開される！　お先に拝見しましたが、ホントに面白い！　嗚呼、中川先生フィギュアを作りたい！　作らせて！　夢は貪欲に望めば叶う！　オファー待ってます。

浅井真紀（フィギュア原型師）

出会って30年近い付き合いでしたから、思い出はいくらでも出てまいりますが、いざ改まって書こうとすると、中々に上手くまとまらないもんです。お互いに気が合い仲良く尊敬する間柄で……等と小綺麗に綴りたいのも山々ではありますが、残念ながらそれは嘘になりますね。随分と荒っぽい言い合いをしましたし、縁切りめいた言葉で喧嘩別れしたことが何度もあります。もっと気の合う、大事なお友達は幾人も居られたでしょうし、おそらく深い部分の思想も違っていたと思います。けれど、なぜかその縁は途切れることが無く、要所要所、人生の大事な所を一緒に過ごさせてもらいました。私にしてみれば十代の頃から自分を知ってくれている、6歳年上のほぼ同期という間柄ですから、親戚というか兄弟弟子というか戦友というか、寒河江さんの筆を借りれば「素晴らしきかな腐れ縁」。ふたり組んだら大きな仕事を成し遂げられる名コンビなんてことも無く、まあそんな世間様にとってはしょうもない関係で。30年こんな感じだったので、あと30年くらいもこんな感じだろうと思っておりました。ずっとしょうもない関係のままで良かったんです。最後に交わしたやりとりは来年の展望についてで「これは寿命延びてまうなあ」なんて言っていたのに、10日ほど経ったら、寝ずの番して大きな骨を拾うハメになりました。寿命、延びてへんやんけ。

　葬儀帰りの新幹線で、お酒を飲みながら帰るってのをやったんです。寒河江さんがいつもやってたことで「太りすぎてんねんし、やめとき」って言ってたんですが、まあ、こんな時くらい真似してみようかなと。そしたら、ワゴン販売のお姉さんに心配されるくらい、ぐしゃぐしゃになりました。これに関しては、今度本人に言うたろと思ってます。多分「浅井はええやっちゃなあ。そのうち浅井ビルが建つで」って返ってくるんじゃないですかね。毎度ふざけてそれ言うので、まだ言うてはると思います。

サガエデイズ
君よ粘土の河を渉れ！
2014年

1月 まんが祭りだワッショイ！

何の間違いか近頃TVによく出させてもらってます、スミマセン。勘違いしないよう今年もコツコツ頑張っていきたいなと思う所存です。さて、もうさして珍しくなくなった漫画やアニメの実写映画化の話題。昨年も『ガッチャマン』『タイガーマスク』等のキャラクターモノから『鈴木先生』『図書館戦争』等の話題作まで数多く公開されたものの、ジャンルとして定着したためか以前のような「え!? あの作品が実写化!?」的なインパクトは薄く落ち着いた印象で、もしや収束していくのではなんてちょっと懸念していたら、今年（以降）は祭りと言っていいくらいの製作ラッシュ。公開間近なものでは『パトレイバー』『魔女の宅急便』『黒執事』『僕は友達が少ない』『テルマエロマエ2』に『るろうに剣心2&3』…と目白押し！　賛否両論いろいろございましょうが、こうやって文句を言ったりワイワイやれるってこと自体が幸せな状況じゃありませんか。そして昨年末に飛び込んできたニュース、北村龍平監督『ルパン三世』！　山崎貴監督『寄生獣』！　そして樋口真嗣監督『進撃の巨人』!!　今回はこの3作について無責任につらつら書いてみますよ。

ルパン実写化の話はもう昔っからの定番の話題。「ルパン役は誰々、不二子ちゃんは」…と俺キャスティングは誰もがやったことでしょう。クローズなルパンに不屈闘志な次元と科学忍者な五右衛門、SPACE BATTLESHIPな不二子にBATTLESHIPな銭形！　さらには『ゴジラ FINAL WARS』の北村監督にプロデューサーは『太陽を盗んだ男』の山本又一朗センセイ（脚本兼任）!! の鉄壁布陣！　いやこれ、凄くカッコイイアクション映画になっても、とんでもない底抜け馬鹿映画になってもどっちに転んでも成功が約束されたようなもんですよ。『寄生獣』大好きな漫画です。ハリウッドでの映画化や塚本晋也監督、清水崇監督等々噂はずっ

とありましたが、『SPACE BATTLESHIPヤマト』山崎貴監督がメガホンを。注目は主演の染谷将太。個人的に『半沢直樹』や『あまちゃん』なんかより昨年大ブームだったドラマ『みんな！ エスパーだよ！』の嘉郎ですよ。それだけで期待大です。

漫画アニメの実写化には大きく3種類あると思うんです。ひとつは「往年の大ヒットアニメを実写でリメイク」。食玩やパチンコにありがちですが過去作ながら誰もが知っているあのキャラクター。デビルマン、キャシャーン、ヤッターマン等々。ルパンはこれに当たると思います。もうひとつは「連載は終了しているものの名作として誉れ高い作品の初映像化」。『ヒミズ』『ALWAYS三丁目の夕日』等。『寄生獣』はきっとこれ。そして最後が「今最も旬な漫画の映画化」。『DEATH NOTE』『宇宙兄弟』等。熱い時期だけにファンの期待や不安も大きくもっともハードルが高いと言えるでしょう。果敢に挑むのは我等が樋口監督！ 大作映画を手掛けて来られた実績、そして特撮ももちろん猛烈に期待大なんですが、何よりうれしいのは漫画作品を長編劇場映画で初めて監督されるということ。自分は樋口監督はアニメ的表現を実写に取り入れることにおいて世界で最も優れた監督だと思っているからです。ガメラの火球やイリスとの空中戦、キャシャーンのバトルシーン、『巨神兵東京に現る』等々挙げればキリがありませんが、このセンスばっかりはハリウッドがいかに大金掛けようがまねが出来ない日本の宝です。さらにはお題が「怪獣映画」と呼んでもいい『進撃の巨人』となれば、今から考えただけで鼻血が出そうで、観るまでまだまだ死ねませんですよ。

2月　芸術力ってなんなのさ

毎日放送（TBS系列）の『プレバト!!』という番組に出させていただきました。毎回8～10人程の老若男女芸能スポーツさまざまな有名人の方々がいろんな抜き打ちテストに挑戦、それをその道の専門の先生が審査しランキングをつける…という企画。自分は芸能人の皆さんが作った動物の粘土細工を見てその芸術力の才能の有無を見極める粘土の先生という役どころ。紹介は「大阪芸術大学短期大学部客員教授でフィギュア作家の顔を持つ、寒河江弘先生」と「フィギュア」はオマケ的肩書きであくまでも「大学教授」推し。生まれて初めてのプロによるヘアメイク、さらには用意された衣装（なぜかオードリー春日的ピンクのベスト!?）を着ての顔晒し…なんですが、毎度あの通りの映りでございます（大汗）。現時点で三度出演させていただいたんですが、錚々たる芸能人の皆さん作の粘土作品を、ライトを浴びて撮影されながら、御本人達がいる前でズバズバと批評（さらには酷評）しなければならない状況、緊張とかそういう次元を通り越して毎度大焦りの中収録に挑んでいるような按配でまったく慣れませんです。そもそも司会の浜田雅功さんといえば自分等世代のしかも関西出身者にしてみれば正にスーパーヒーロー！　そんな方から「先生」なんて呼ばれちゃう様な超現実的非日常、慣れる訳がありません。

そもそも「芸術力」ってなんなのか？　実際に自分は学校で授業をしていて学生たちに成績をつけているんですが、それは個人の才能や作品の評価だけでなく授業の取り組み方や理解度等々さまざまな事柄を考慮して判断しています。粘土細工一点だけを見てその人の芸術的才能の有無を判断するのは酷な話で、モチーフである動物をリアルに作れているからと言って、即「芸術の才能アリ」とすることに異論がある方もいらっしゃるでしょう。例えリアルでなくとも独創性に優れた作品は芸術とは言えないのか、もっと言えばオリジナリティのある自己表

現こそ芸術の根幹じゃないのか！ 等々。…って、気楽に笑って見る様なＴＶのバラエティ番組で深刻に考える必要はないのかもですが（笑）、自分自身を納得させるためにも審査するにあたりひとつ基準を設けました。それは、マンガやキャラクター的な表現、すなわち「しょーもない先入観」には厳しく評価しようということ。それはマンガ表現自体を否定するということではなく、そのどこかの誰かが考えた表現を躊躇いなく「本質」や「自分の考え」だと誤解していることに対して「しょーもない」と査定しようと。分かりやすく例えるなら「空の絵を描いた時、太陽は何色に塗るか」の話。躊躇いなく赤く塗る人は、「日の丸」や「真っ赤な太陽」等のイメージや言葉に引っ張られて本質を見ていない証拠。日の出日の入りの時以外は太陽が赤く見えることはほぼないということは誰しも分かっている…にもかかわらず赤く塗ってしまうのは考えが無いのと同じだと思うんです。まず見て何かを感じる、そしてそれを自分の中で考えて表現する、当たり前のことですが芸術の基本じゃないかと…って、偉そうですね、スミマセン。

丁度この原稿を書いてる今、有名な作曲家の作品がゴーストライターの作だったことが話題になっています。善悪の判断はとりあえず置いといて、本来なら作者が誰であろうと曲（作品）そのものに対する評価は変わらないはずなんですが…いや、モノの価値判断って本当に難しいですね。

3月 日本縦断2014

昨年4月から大阪芸大短大部で先生をやっているんですが、一年間全105コマの実習授業が終了しました。前期ではマスコットフィギュア&胸像を石粉粘土やスカルピーを使って造形、秋からの後期授業ではさらに進めて自分でデザインしたキャラクターを原型製作、シリコーン型取り、レジン複製、エアブラシ等での塗装…と、いわゆる「ゆとり」世代の彼らにとっては超つめこまれたカリキュラムを強行。途中「これは間に合わない」と無償で補講をやったり、学生たちも自宅に持ち帰って作業したり…といろいろあったんですが、後半の彼らの集中力とスパートで全員無事完成！ 入学時はほとんどがファンドも知らないし、プラモデルすら未経験。もちろん「ホビージャパン」も読んだことがない…そんな彼らが、技術的にはまだまだですが、可能性を感じる魅力的なフィギュア作品を生み出してくれました。授業の最終日は時間延長で夜になり、真っ暗な校内でフィギュアの実習室だけポツンと灯り、コンプレッサー音を響かせ、最後の一人が塗り終わった瞬間は、なんだかこちらも達成感を味わいました。

ということで、昨年度はこの短大での授業だけで、東京から兵庫県伊丹市までの30数往復！ 普段フィギュア作りのほぼヒキコモリの生活から一転、週一で新幹線で長距離移動という日々。往復で約9~10時間通勤はいまだ慣れることはないんですが、今年は4月から新一年生が入ってくるので単純に担当授業数も倍になり、さらなる試練となるわけですよ。また、今年は関西以外にもいろいろ日本中を飛び回ることになりそうなのです。そのひとつは現在静岡で準備中の「徳川家康公フィギュアプロジェクト」。没後400年となる2015年に合わせて徹底考証したリアルな家康座像フィギュアを製作してリリースしようという計画。この企画の大きなポイント

は、静岡県のいくつかの会社がそのれぞれの匠の技を持って一体のフィギュアを作るというもので、その製作過程自体がまさに企画なのだ。発案と仕切りは模型メーカーの「プラッツ」、成型は「RCベルグ」、衣装・胴体は雛人形で知られる老舗人形店「人形の左京」、ケースはブランド品などの高級紙箱製作「ユーシ・イレブン」等々すべて静岡の会社。自分は静岡県民ではないんですが、日ごろお世話になっているプラッツさんチームとしてヘッド原型で参戦。これから打合せ等で静岡へうかがう機会も増えそうです。さらには昨年ホビーショーで発表になった『ご当地怪獣プロジェクト』が本格始動となること。TBS系の番組『プレバト!!』やフジテレビのドラマ『福家警部補の挨拶』第3話でもチラ映りしていた怪獣フィギュア3体ですが、47都道府県を網羅することを目標に現在急ピッチで仲間を増やしてますよ。具体的な話はこれからですが、リアルに地方自治体との連携もできればなんて妄想しています。そうなったら活動範囲はまさに日本全国。あなたの街の怪獣を作りたいと本気で思っています。ぜひご声援&誘致活動よろしくお願いします。

毎年行っているゆうばり国際映画祭に今年は参加できなかったんですが、自分が造形で参加した映画『ニンジャセオリー』の完全版が公開されました。声優にリアルニンジャマスター千葉真一さんを迎えてバージョンアップ！　機会があればぜひ見てください。「忍者」といえば8月に三重県伊賀市で「忍者の國忍者映画祭」なんてのも開催される。西村喜廣監督によるPV見たらとても楽しそうで参加したい！　今年は本当に全国いろんなところに足を運ぶことになりそうな予感ですよ。

4月　ツインテールは本当に海老の味だった。

先月、カナダはバンクーバーからStan G Hydeさん（以下スタンさん）一家が来日した。スタンさんはバンクーバーの高校で映画演劇を教える先生なんですが、毎年米国で催されているゴジラなど日本の怪獣のコンベンション「G-FEST」のメインスタッフのひとり。もちろん、生粋の日本の怪獣マニア。自身がモデラーでもあるので日本のガレージキットなどそっち方面もむちゃ詳しい。3年前、G-FESTにゲストで呼んでもらった自分ですからここは「おもてなし」でお返しをと思っていたところへ、同年ゲストだったもうすぐクランクインの「巨人」軍H監督から電文で号令、「日本カナダ怪獣サミットだ！」と。このカナダからの怪獣マニアを迎え撃つ我が軍は特撮博物館副館長にして多数の怪獣映画を手がけたそのH監督をリーダーに、シリーズ初の3D劇場版ウルトラマンを監督した○監督、平成ゴジラ世代からは巨大警察ロボドラマの監督にも抜擢の特撮界の「噂のヤングエリート」T監督、さらには14年前のG-FESTのゲストでティガでは数多くの怪獣をそして平成ウルトラセブンを演じた俳優のKさん、&俺という鉄壁布陣。場所は川崎にできたばっかりの「怪獣酒場」！それは正に「怪獣サミット」開催に今日本でもっともふさわしい会場だった。…と前フリ長くなってしまいましたが今回はその話。

神奈川県川崎市のJR川崎駅東口すぐにある「怪獣酒場」は、その名の通り「怪獣」をテーマとした期間限定の居酒屋。円谷プロダクションが監修しているだけあって店中ウルトラ怪獣のネタだらけ。「宇宙人&怪獣たちが直接経営している」という設定で地球人に見える店員さんたちも実は…と言うていで、名札を見ればカタカナだったり（笑）メニューもウルトラ怪獣にちなんだものがたくさん。「バルタン星人のおもてなし」はバルタンのハサミを模った蟹ピラフ、「科学特捜隊日本支部を破壊せよ！」という料理は科特隊基地をイメージしたパングラタンで正に怪獣気分で基地を破壊しながら食べる痛快さ！ 昔怪獣図鑑で「肉はエビに似た味で美味」と紹介されていた怪獣ツインテールを模った「ツインテールフライ」は本当にジャンボエビフライでテーブルに運ばれてきたら皆写メ撮りまくりの大盛り上がり。と、ネタをひとつひとつ書くのは野暮なので実際に行って見つけて欲しいんですが、壁に「ウルトラセブンを変身出来なくしてやったぞ！」とレオの時のモロボシダン隊長の松葉杖が展示されていたのにはニヤリ。店内ＢＧＭが歴代ウルトラシリーズの怪獣が出現したりウルトラマンがピンチになった時の曲ばっかりなのも逆に盛り上がります…って、嗚呼止まらないのでこの辺で（皆行くべし！）。

　さて怪獣サミットに話を戻そう。グリーンモンスのモヒートがお気に入りだったスタンさん。飲み物をオーダーすると怪獣の写真がプリントされたコースターが付いてくるんですが、それを使ってのＯ監督からの「この怪獣は何」クイズコーナーも、もちろんスタンさん全問正解。レッドキングに至っては「２ｎｄ！」と2代目なのまで当てる！『極底探検船ポーラーボーラ』の主題歌を歌ったり、新ゴジラのエキストラ参加の話を聞いたり。お互い相手の国の言葉が話せないんですが、全くNO Problemでサミットは大成功。まさに「ＫＡＩＪＵは国境を越える」で幸せな宴でありました。

　そして報告、今年のＧ‐ＦＥＳＴに自分再びゲストで呼ばれることになりました！ 今年はしばらく怪獣でひっぱりますよ！

5月 祝・創業半世紀

6歳児が言ったそうです「模型屋がいい。」と。父はうどん屋と模型屋、店を始めるのにどちらにするかを運に任せ、倒れた木刀は模型屋の方に…。半世紀前、自分もまだ生まれてない1964年4月創業と聞いて驚きましたですよ。今回は海洋堂さんのお話です。

30年ほど前まだ高校生だった自分。日曜日、自宅から約12㎞の距離を自転車走らせて行った門真のデカくて雑然とした倉庫のような建物には近所の模型店や玩具屋には決して売っていない模型が並んでいてホントにワクワクした。当時桃谷（自宅から約6㎞）にあったゼネラルプロダクツとともに自分にとってのマストスポットで、金も持っていなかったので訪れても展示されている模型を眺めるばかりだったんですが、当然ネット等も無いので新しい情報は「足を運んで、生で見る」しかなく、思えばそれだけで随分勉強させてもらったように思います。タミヤの人形改造コンテストのような「パテで何かを改造する」のが精一杯の（と言うかそれだけでもすごい）時代。粘土でイチから造形し、それを型取って売る仰天のエポック、憧れでした。「センム」こと宮脇修一社長も当時は雑誌「宇宙船」で「若旦那」の名で紹介されていて、もちろん自分の中では有名人。レジで模型をドライブラシやスミ入れしながら常連と思しきお客さんと話しているのを耳を傾けて盗み聞いていたりしたのも懐かしい話。その数年後、大学に進んで彫塑（彫刻）を専攻し「造形」を将来の仕事として意識するようになり、海洋堂に持ち込んではダメ出しを食らう不遇の時代を経て、すでにプロになったさらに何年かあとに海洋堂×スクリーミン社（米国）ブランドのソフビフィギュアシリーズの『ヘルレイザー』のピンヘッドの原型でやっと海洋堂デビュー（しかし、残念ながら未発売…）。

先月大阪の某ホテルで開かれた50周年記念パーティーに自分も呼んでいただいたのですが、２００名は超えるであろう大勢のお客さんが集まり大盛況でした。なんせ50年の歴史が育んだ人脈ですから模型界大御所だらけ。例えば自分のテーブルなんかも情景王・山田卓司さん、ガレージキットの名付け親・聖咲奇さん、元祖恐竜造型作家・荒木一成さん、アンティーク調フィギュアの第一人者・村田明玄さん等々ビッグネーム揃いで、芸暦24年の自分もぺーぺーのヒヨッコ状態でした。自分は東京戻りの新幹線があるため、一次会で失礼してしまったんですが、宴は日付を越える深夜まで続くほど盛り上がったそうです。ということで、パーティー会場ではセンムとは挨拶程度しか出来なかったんですが、さらにそれから数日後の5月1日、大阪ミナミの宗右衛門町に新しく出来たトークライブハウス「Loft Plus One West」の「海洋堂トークライブ」にゲストで呼んでいただきイベント後半の約一時間ガッツリセンムとお話させていただきましたですよ。80年代のガレージキット時代を担った今池芳章さんや原詠人さん等々海洋堂の個性溢れる原型師さん達のお話。たくさんのお客さんとともに愉しい時間を過ごせました。

さて。もし海洋堂が無かったとすれば今の模型界は随分違っていたでしょう。チョコエッグに起因した食玩ブーム無かったでしょうし、リボが無ければｆｉｇｍａも無かった。自分もフィギュア以外の仕事をしていたかもしれない。そう考えれば半世紀前のひとりの6歳児の一言がホビー業界やさらには大勢の人間の人生を左右したわけで、ちょっと戦慄するほどです。ということで、6＋50歳児のセンム、改めて50周年おめでとうございます。

6月 デブでもカッコイイの話

イキナリですが暑い！ デブには辛いこの季節恒例の「痩せなきゃね」の声が各方面から続々届いております。しかしながらですよ。自分が言ったところで微塵も説得力無いのは承知ですが、近頃世の中みんな痩せすぎだと思うのですよ。

ちょっと前にリメイク版『ロボコップ』を観たんですが、確かに細マッチョなブラックボディはカッコイイですよ。バイクに乗って疾走する姿もキマってます。しかし、ロボコップはそうじゃ無いんですよ。武骨にして不器用、ガシャコンガシャコン歩くだけで決して走れやしない。後ろはガラ空き。転げたらすぐに立ち上がれない。そんなドン臭くデカい図体なのに銃の腕は正確無比。そこが切なくてカッコイイんです。こんな身体になってしまってもなお「生きてやる！」という生への執着が物悲しさとカッコ良さがあいまって、観てる自分らはグッとくるわけです。

思えば、80～90年代前半辺りのアメリカ映画のヒーローはみんな太マッチョだった。シュワルツェネッガーやスタローン、当時むっちゃスタイリッシュだったマイケル・キートンのバットマンだって今見たら随分太い。実を言うと当時自分も「痩せてる方がカッコイイ」なんて思ってました。東洋人のアクションヒーローの基準はやっぱりウルトラマンとブルース・リー。古谷敏さんの手足が長くスレンダーな身体にピタッとしたウェットスーツ、あるいは『死亡遊戯』の黄色いトラックスーツ。自分らのヒーローのカッコ良さはその辺りから始まったわけで、それに比べたらシュワルツェネッガーなんてCMでやかんを持ってポーズ決めてるのがお似合いと自分もちょっと小馬鹿にした感じで映画観てました（反省）。実際『ターミネーター』もエンドスケルトンになってからの方がカッコ良かった（そう言えば当時アメリカ映画では、エイリアンやT-1000等々痩せてると言えば悪役だったたな

あ…と）。そんなアメリカンヒーローのスタイルの価値観が変わったひとつの要因は1993年の『パワーレンジャー』の大ヒットだと思うのですがどうでしょう？　鮮やかな5人のヒーローが当時の俺たちの「カッコイイ」だった細いピッタリスーツで華麗なダンスの様なスピード感溢れるアクションで敵を倒す。パワーレンジャーで種が蒔かれていなければ、おそらくは『スパイダーマン』も実写映画であれほどヒットしシリーズ化されることはなかったんじゃないかと推測です。話は戻って…、「痩せてなくてもカッコイイ」その価値観を自分に目覚めさせてくれたのは、若山富三郎&勝新太郎兄弟でありました。ビデオで観た『子連れ狼』と『座頭市』の2大時代劇シリーズ（もちろん劇場版）。拝一刀も市も幼い子供を傍にだったり盲目だったり「戦う」には絶対的不利な条件の中それをまったく物ともせず電光石火の剣さばきで敵をバッタバッタ倒す。卑怯な手も使えば、相手を小馬鹿にしたりもする。品行方正勧善懲悪とは真逆のいわゆるダークヒーローのはしり。お二方とも今で言うイケメンとは違って、シュッと痩せていない…どころかはっきり太い。さらには筋肉系ですらない…と、文字にすると「ただのデブのおっさん」なんですが、そのおっさんが仰天のスピードと精度、圧倒的強さと非情で無敵の活躍。ホントにシビレまくり。未見の方は今すぐ『死に風に向う風車』辺りから観た方がイイです！　って、今回はいつも以上にとっちらかってしまいましたが、太っててもカッコイイもんはカッコイイんだと言う話。そして最後に一言、今度の『Godzilla』には期待だ（笑）。

7月　ニワカ様いらっしゃい！

毎週水曜日は学校で関西に向かうため、6月2日朝のその瞬間は電車内だったんですが、それまでずっとイヤホンしてスマホでTVをじーっと観てた周りの皆さんが、一斉にそれを無表情でポケットにしまう光景を…。ワールドカップの話ですよ。ご存知の様に残念ながらの一次リーグ敗退だったんですが、盛り上がりました。自分もそうですがここ数日間、コートジボワールやコロンビアの話をしてみたり。「ドログバて重機動メカか！」等。その少し前はAKBでした。総選挙は自宅のすぐ近所の味の素スタジアムで行なわれたんですが、駅の周囲は朝方からファンの皆さん多数。自分は仕事場へ向かう時他の道具なんかと一緒にノコギリがカバンに入っていて、職質されやしないかとちょっとドキドキ。さらには我が模型業界に目を移してみれば、ガルパン・艦コレのおかげで、ホビーショーはミリタリー系のプラモデルブーム再燃で大盛況だったとか。W杯、AKB、ミリタリー模型…言うまでもなくこれら皆、ニワカと呼ばれる人たちが盛り上がった所為、いや、「おかげ」。とかく日本人はブームに乗せられる等々揶揄されるんですが、それによる経済効果等々考えれば盛り上がるに越したことはないわけです。そして、そのブームの鍵はニワカ様が握っているわけですよ。特に今年は、『Godzilla』公開もありちょっと怪獣ブームの兆し。現在『ご当地怪獣プロジェクト』推進中で成功させたい自分にとっては正にナイスタイミングなありがたい大チャンスな訳です。もちろん、元々の熱心なファンからすれば的外れな盛り上がりや薄い知識をしたり顔で語られたりすることに違和感や時には怒りを覚えたりするのも分かりますですよ。思えば自分も了見が狭かった。以前、特撮好きを自称するとあるタレントさんがTVで「ゴジラは全部観てますよ！」なんて言った時、「全部だと！　じゃあ『怪獣王ゴジラ』は当然として84の海外版も観たんだな！」とか「ハンナバーベラのＴＶアニメも全話観てるのか?」とかその「全部」という言葉に引っかかって文句言いまくってました。ちょっと考えれば、そのＴＶを見ていたゴジラを全く知らない視聴者へのものすごい宣伝になっているわけで、そんなことでいちいち文句を言ってた昔の自分を恥じます。猛省。

前にもチラッと話しましたが、この原稿を書いた直後は、シカゴの海外怪獣ファンのお祭りＧ-ＦＥＳＴに行ってきます。カナダ&米国の怪獣ファンが3日間ホテルを占拠して怪獣三昧のお祭り。自分は講演の他造形実演や審査員なんかを担当。今年はゴジライヤーということもあって自分の他に川北紘一、藍とも子、佐々木勝彦、ドン・フライ、ロバート・スコット・フィールド（敬称略）という昭和からミレニアムシリーズまで網羅の豪華ゲストが集結。そしてただ濃いだけじゃなく彼らは本当にニワカ様に優しい。コスプレ、模型、イラスト、ゲーム、自主映画等々、あらゆるコンテストが開催され本格的な強者から幼い子供までみんなが参加し、笑い歌い、カメラ向ければスペシウム光線ポーズをとる（笑）。「初心者を育てる」という彼らの姿勢は本当に見習うべきと毎度痛感です。ということで、8月25日、大阪はミナミの宗右衛門町にある「Loft Plus One West」で「みんなで怪獣フィギュアを作ろう」というイベントをやります。粘土を持ち寄ってお客さんたちと一緒になって怪獣を作るイベント。そのＧ-ＦＥＳＴの報告や『ご当地怪獣』の話なんかも予定してますのでニワカ怪獣モデラーの皆様こぞぜひお越しください！

8月 ホントに熱いぜ！ G-FEST！

片道12時間のフライトを経て帰ってきました3年ぶりのシカゴ！ 1000人を超える米国&カナダ人の怪獣ファンがホテルにギッシリの夢の国。今年は特に『Godzilla ゴジラ』の公開もあって老若男女問わずのあらゆる世代が集まって本当に盛り上がりました！ 開会式にはたくさんのゲストがズラリ。スピーチで「アンドロイドM11とサイボーグ少女桂が会ってるぞ！」って言ったらオォー！ ってなるくらいみんなノリノリ。ホテルの大小約20部屋では講演・上映・展示・販売・上映・撮影等々のイベントが同時進行で行われていて、自分は造形実演の他に大きなホールで講演もあったんですが空席が目立たない程度にお客さん入ってくれてホッとしました。今進めている『ご当地怪獣』の話。「皆は小さいひとつの島国と思っているけど地方地方に細かく文化があるんだよ」と、大阪のオバちゃんや納豆の写真見せてその後にオバちゃん怪獣や納豆怪獣の画像見せたらゲラゲラ笑ってくれて「国境を越えたぜ！」と心の中でガッツポーズの俺でした。魚沼市の怪獣ドキラのTシャツで挑んだんですが、「Cool！」と言ってくれる人もいてそりゃもううれしかったです。

夜は夜で会場を移し1928年開業という伝統的な劇場ピックウィックシアターに場所を移し映画とコンサート。今さら『ゴジラVSデストロイア』の上映に長蛇の列。台詞にいちいち笑ったり拍手したり、ゴジラが出てくりゃもう大喝采。また伊福部昭生誕100年記念コンサートは昭和から平成まで各映画に合わせてアレンジされた2時間半。米国人のフルオーケストラで大戦争マーチとかもうサブイボ立ちまくりで涙腺崩壊。インターミッションの時「ヒロシは泣いてた」とトイレで言われてちょっと恥ずかしかったり。

メインイベントはCOSTUME PARADEというコスプレコンテスト！ 今回自分は川北監督やドン・フライさ

んとともに審査員。なんせこの瞬間の為に1年がかりで本格的な着ぐるみ造ってきた猛者もいるわけですから重責です。オープニングから天狗の面を着けた「大戸島の神楽」。誰が喜ぶねん的伝わりにくいコスにさすがに観客もぽか～ん（笑）。そしたら、エントリーシートに無い男ふたりが登場。最前列にはスタッフに誘導されて訳が分からず座らされた女の子。変身せよ！的アナウンスが流れてその男のひとりがパワーレンジャーの変身ポーズとともに胸から指輪を出して跪いてガチプロポーズのサプライズ！抱き合うふたりに場内大喝采！そのあともゴジラやガメラ、ウルトラマンなどのメジャーどころは当然として、腕ドリル回転し角が光るメガロやチタノザウルス、ヘドラ、ギガス、勝手に作ったメカギロン、キラアク星人、ゴードン大佐などなど、怪獣愛溢れるパフォーマンスのオンパレード！パワードダダのコスを見て子供が「マイケルジャクソン！」って（笑）。もう完全に審査を忘れて楽しんでました。この辺り「G-FEST XXI: Costume Parade」で動画検索したらきっと見られるのでゼヒゼヒ探してみてください！

　実はG-FESTを訪れるのは今年で4度目。いまだ英語はまったく話せないんですが、ここで知り合った友達に「Welcome back!」と温かく迎えられてとても幸せでした。そして彼らが本当に羨ましい。皆が「楽しもう」さらに「楽しませよう」としてて、ここから世界平和が始まると本気で思えるほどに。航空券・滞在費合せて20万円程ですが怪獣ファンなら行く価値有りです。J.D.-san,Stan-san & every KAIJU-Friend,Thanks a lot! Let's meet again! 今度は皆さんと行きましょう！

9月 なんと！ 忍者の映画祭！

この連載もここ数ヵ月「怪獣、怪獣」としつこく言ってまいりましたが、企画展等イベントが目白押しだった「怪獣」の夏も8月が終わるとともにちょっと落ち着いた感もあり、何だか淋しい秋の訪れ。昨年の『パシフィック・リム』に今年の『Godzilla　ゴジラ』とまるで第４次怪獣ブームの様相ですがハリウッドで言えば怪獣より盛り上がってる日本キャラクターがもうひとつ、そう忍者であります。ピンと来ないの承知で話を進めますが、ここ2～3年を振り返ってみれば、ウォシャウスキー姉弟の『ニンジャ・アサシン』、『ウルヴァリン：ＳＡＭＵＲＡＩ』、『GIジョー：バック2リベンジ』、ケインコスギ出演『NINJA II:Shadow Of A Tear』と忍者が出てくる作品がこんなに。さらにはマイケル・ベイ監督のアクション大作『ニンジャ・タートルズ』も控えている！…とそんな中、8月22日～25日に日本でとても素敵な映画祭が開催。『伊賀の國 忍者映画祭２０１４』であります。

ということで行って参りました、伊賀忍者のふるさと三重県伊賀市！ 大阪から近鉄電車で伊賀神戸、さらに伊賀線に乗り換え松本零士先生デザイン忍者列車（先頭車両正面がメーテル目のくノ一の顔のインパクト！）に揺られて着いた伊賀上野は町中笑っちゃうくらい忍者だらけ。今回自分は造形で参加した飯塚貴士監督の人形ミニチュア特撮映画『ニンジャセオリー完全版』が地域に貢献された作品に贈られる「地ムービーアワード」受賞とのことで招待ゲスト。監督とともにレッドカーペットを歩いてまいりました。その開会式にはお客さんがギッシリ数百人。ゲストずらりのフォトセッションでは伊賀市長や俳優の栗原小巻さんや椎名桔平さん神楽坂恵さん、平成ガメラの金子修介監督ら映画人の皆さんとともに登壇でまるで有名人な気分満喫でした（はい、勘違いしないように…）。

なんたって忍者映画祭ですからもう4日間朝から晩までビッシリ忍者映画がかかるわけです。オープニングを飾ったのは西村喜廣監督、斎藤工主演の特撮アクション映画『忍者虎影』のスペシャルプレビュー。伊賀でロケされたこの映画は400人の伊賀市民がエキストラとして参加しただけあって、2度の上映で約800人のお客さんが集まり大盛況！　映画自体もムチャクチャ面白かった！　この映画、公開が決まったら大応援決定ですので必ずここでまた書きます宣言です。『虎影』には全国から斎藤工さんのファンの方々も集まり、その人気のすごさを思い知ったわけですが、翌日上映の自分たちの映画『ニンジャセオリー』もその斎藤さんが声優で出演とあってファンの方が来てくださって本当に感謝でした。自主制作の忍者映画コンペティションも行なわれ、10本の映画がノミネート。本格時代劇、VFXアクション、アイドルモノにコメディとバラエティに富んだ…でも全部忍者映画の中で自分は、キノシタケイタ監督『阿鵝羅～AGARA～』、木場明義監督『HATTORI!!!!!』、大木ミノル監督『時空脱獄NINJA ジライヤ』の3本だけ観てどれも面白かったんですが、グランプリ・準グランプリ・審査員特別賞の3作品が偶然その3本でちょっとビックリでした。

ステージイベントではイメージガールのくノ一るきのちゃんが歌って踊り、同時開催の屋台村「おいしい映画祭」では各地のグルメを満喫。夜は伊賀牛ステーキに伊賀米に伊賀酒、深夜は監督さんたちと居酒屋さんで盛り上がるという体重増加がまっしぐらの4日間。7月のG-FESTにWF、8月の忍者映画祭とこの夏は楽しすぎの祭三昧。ゴメンナサイ、切り替えて真面目に仕事頑張ります。

10月 熱いぞ鳥取！

グッドスマイルカンパニー（GSC）さんが国内にフィギュアの製造工場を新設した。大手各メーカーのフィギュアの生産に関しては、一部を除けばほぼ海外（主に中国）でインジェクション成形から塗装・組み立てまで行われ、まさに「依存」している現状。ファンの高い要望に応えうる生産技術レベルがあり、食玩からミニサイズ可動フィギュアまでここ10年のフィギュアのブームを支えてきたのが中国の工場なんですが、昨今の中国での人件費の高騰、円安等々のリスクから困難が生じてきているのもまた事実。そんななか、GSCさんが巨費を投じて国内に工場を作ったのは正に驚きのニュース。国内だけでなく海外の市場拡大を視野に入れてのことと、その成功を大いに期待したいです。安藝社長、すごいです偉いです。

そして、その工場が新設されたのが鳥取県倉吉市とのこと。今なぜだか鳥取が熱い。厳密には鳥取県ウエストサイドが。自分が住んでいる東京都調布市は妖怪漫画家の水木しげる先生のお膝元ということもあり、水木しげるロードなど同じく妖怪で盛り上がる鳥取県境港市がやたら話題に上がったり、自分ら世代からすれば、30年前のDAICONフィルムの樋口真嗣監督が特撮を手掛けた自主映画『八岐大蛇の逆襲』の舞台になった米子が印象深い。ということで、高速バスで大阪から3時間チョイ、行って来ました鳥取県米子市。バスが降り立ったその場所はJR米子駅前だったんですが、映画の中で八岐大蛇が壊した駅ビルがまんまの形で残っていて、思わぬ聖地巡礼にいきなり大興奮の俺でした。今回米子の町を訪れた目的は「海とみなとの映画祭」。境港市出身で現在のソニーや東宝の設立にも貢献された増谷麟氏を記念して開催される映画祭で今回が第2回。自主映画時代からお世話になっている境港市出身で読売テレビの結城プロデューサーが携られていて、この機会にと参加であり

ました。まず向かったのは、駅近くイオン内にあるガイナックスシアター。数々のアニメの制作で知られるガイナックスが運営するレンタルスペースでさまざまなイベントが催されているんですが、自分が行った時はちょうどドラマで盛り上がっている「アオイホノオ原画展」をやってました。舞台となっている大阪（大作家）芸大は正に自分の母校でありまた今の職場でもあるので感慨ひとしお。会場を出ると結城さんと無事合流、主である赤井孝美さんを紹介していただきました。初対面。説明野暮ですが、ガイナックスの起ち上げメンバーでアニメやゲームのクリエイター&プロデューサーのすごい人。そもそもガイナックスの「ガイナ」は米子出身の赤井さんに因み米子の方言である「がいな（巨大な）」から付けられたというのも有名な話。自分は、これも30年近い前の当時に桃谷のゼネプロで買った同人誌「ＤＡＩＣＯＮフィルムの世界 vol.1」にサインをいただく至福。その後同会場で行われた映画祭の前夜祭に参加。地元で獲れた魚などおいしい料理に結城さん赤井さん、映画監督の錦織良成さんの地元愛溢れるトーク。翌日の映画祭では、会場を米子市公会堂に移しヴァイオリニストＭｅｉさんのＬＩＶＥに司葉子さんや松本若菜さん青柳翔さん等豪華なゲストも加わり大いに盛り上がりました。行って良かった！

その米子では11月1〜3日に米子ポップカルチャーの祭典「米子映画事変」が今年も開催されます！　地元特撮映画『ネギマン』や「復活！米子の奇祭『一人神輿』」等多彩なゲストとともに賑やかに盛り上がること必至ですので、ぜひこの機会に訪れてみることをお薦めしますよ！

11月 GET UP! GET UP! GET UP!

まさに歴史は繰り返す。怪獣祭りが落ち着いたタイミングで今回もやってきました妖怪ブーム。某誌の2014年のヒット商品ランキング2位が例のウォッチだそうでもう街中で♪ヨーデルヨーデル。1位は半年前の♪レリゴーレリゴー…って思えばアレも雪女、妖怪のアニメだ。ウォッチもそうですが、TVでは毎週土曜日はJ事務所な地獄先生がゴールデンタイムに妖怪退治で大暴れ。あの枠って怪物ランドのプリンスや妖怪人間等々妖怪率高しですね。そう考えれば、妖怪ってずっと優秀なヒットコンテンツ。20年近く前の『学校の怪談』『トイレの花子さん』は言うに及ばず、トトロ・ぽんぽこ・もののけ姫・千と千尋…と大ヒットしたジブリアニメは妖怪モノ多しです。ブーム関係無く妖怪は鉄板なのかもしれません。

自分、特美の本格的デザイナーデビューが99年の原口智生監督『さくや妖怪伝』だったり、妖怪には縁深し。マイホームタウンの調布市は、妖怪漫画の大巨匠水木しげる先生のお膝元。稀ですが、本屋さんで先生をお見かけしたり。商店街には鬼太郎のモニュメントが並び、妖怪の絵があしらわれた鬼太郎バスが走っていたり、駅の電車到着メロディが『ゲゲゲの女房』のテーマ曲だったり、乗っかりまくっているんですが、おそらく日本で一番妖怪推しの鳥取県境港市と提携して東京会場として毎年調布市でも境港妖怪検定を実施。これは何かの縁と数年前受験してみたら通ってしまいまして、無事境港市認定の妖怪博士になりました。って、まあ初級なんですが。一夜漬けで勉強も、そもそも子供の頃の小学館の「妖怪なんでも入門」で大概の妖怪はインプット済み。機会があったらいつか2級に挑戦してみたいです。

以前、米国人からインタビューを受けたんでですが、その中で「怪獣と妖怪はどう違いますか?」という質問がありました。その時は漠然と「妖怪は日本のトラディッショナルなモンスター」っていう感じで答えたと記憶しているんですが、思えばジバニャンやトイレの花子さん等々現代の妖怪も当然いっぱいいるので決めつけはできない。大体、八岐大蛇は怪獣だ。「怪獣は巨大」っていうのも、ダイダラボッチやガシャ髑髏みたいな大きい妖怪も居れば、カネゴンやピグモン…さらにはダリーみたいな極小怪獣だっている。実体のない精霊的な怪獣も居れば、倒せば血を吐いて死ぬ生物的な妖怪もいる。しかし、日本人はそれをなんとなく区別できてしまう訳で、この辺りの定義はいつか何か落とし所を見つけたいものです。

多くは古代より伝承の創作物ということもあって、鬼太郎やウォッチなど原作が存在するものを除けばほぼ版権フリーの「妖怪」ですが、このところ「フィギュア」との相性がなんだか良い様に感じます。竹谷隆之さんが海洋堂と組んだ可動フィギュアや根付は有名ですが、最近地方主体で行なわれているフィギュア造形のコンテストを挙げてみれば、小豆島の「妖怪造形大賞」や柳田國男の故郷兵庫県福崎町の「全国妖怪造形コンテスト」、京都一条の「妖怪オブジェコンテスト」、そして海洋堂が主催の「四万十川カッパ造形大賞」等々、妖怪ばっかり。それぞれ多数の応募があるので、すなわちこの夏から数多くの妖怪フィギュアが日本中で生まれていることになるのです。それらはいずれその姿のまま依り代となって付喪神と化し、近未来、日本全国で妖怪達が蔓延る！　きっとこれは何者かの仕掛けた「日本を妖怪天国にする」という陰謀に違いない！…などと妄言を吐いたところで今回はお開き。

12月　戦士の休息

最近では『ウルトラマンギンガS』の脚本でも知られる映画監督の中野貴雄さんに付けていただいたこのコラムタイトル「君よ粘土の河を渉れ！」は、1976年のこの方の主演映画のタイトルから…。11月10日、高倉健さんが逝かれた。広い世代に愛された名優。自分らより上の世代には仁侠映画の寡黙なヒーロー、若い世代には『鉄道員』など文芸作品に主演する渋い俳優なんでしょうが、自分ら世代だと娯楽大作映画に主演する大スター。中でも1978年の角川映画『野生の証明』の印象が圧倒的に強い。架空の地方都市「羽白市」を牛耳る巨大企業の陰謀と隠蔽された自衛隊の過去等々を巡る元自衛官の主人公味沢と記憶喪失の養女・頼子（アイドル全盛期の薬師丸ひろ子）の物語。硬派でシリアスな社会派ドラマと戦車が出てきてしまうような近年のハリウッド映画的バカアクション、さらには予知能力に目覚めエスパーと化す頼子…と、ビッグバジェットで「人を楽しませるために」作られた正しい娯楽映画で今見直しても本当に面白い。劇中、松方弘樹演じる上官の自衛官が「味沢 イズア ベスト コマンダー」と語るとおり、ムチャクチャ強い。戦車隊相手に独り戦う健さん、流れる『戦士の休息』シビれます。未見の方はぜひ。『幸福の黄色いハンカチ』のロケ地としても知られる北海道夕張市で毎年行なわれているゆうばり国際ファンタスティック映画祭では国内外問わずそこから多くの映画人が巣立っている。黄色いハンカチが炭鉱の町から映画の町にイメージを換えるきっかけとなったのであればその功績も大きい。ハリウッド等海外の映画にも積極的に出演された健さん、『エイリアン』『ブレードランナー』で知られるリドリー・スコットが監督した『ブラックレイン』は自分の地元大阪でロケされ、当時連日（撮影に支障が出るくらい）報道され盛り上がった。なんせ自分の大好きな松田優作や若山富三郎と共演。鼻血が出そうです。ちなみに戎橋のキリン

プラザビルは未来的な外観で劇中でも殺人事件が起こるクラブミヤコとして使用されていて、大阪へ帰るたびに見に行ったりしたんですが、6年前に取り壊されこちらも淋しい限り。

生涯出演映画本数205本だそうで、61年東映版『悪魔の手毬唄』ではなんと金田一耕助、実写版『ゴルゴ13』ではデューク東郷と自分らのイメージする健さんのイメージとは異なる作品も多数なんですが、60~70年代の怪獣映画ブームの頃は仁侠映画のスターだったため、怪獣映画の出演が無いのが唯一残念。特撮映画と言っていい『新幹線大爆破』がありますが、それをパクったとか言われてるハリウッド映画『スピード』の監督（因みに『ブラックレイン』では撮影監督）のヤンデ・ボンが1998年にハリウッドゴジラを準備していたそうで、真意は不明ですが当時新聞で「高倉健も出演」「そのシーンは撮影済み」等と報道されてた。その後、監督はローランド・エメリッヒに交代しご存知の通りそんなシーンは無かったわけですが、もしそれがホントだったら、なんとかそのフィルムを発掘して権利関係全部クリアにして、これから作られるであろう新作ゴジラでそのシーンを使ってほしい！切に願います。

…とか、原稿を書いていたところに続けて菅原文太さんの訃報です…ＯＭＧ…。『仁義なき戦い』はもちろん『太陽を盗んだ男』『トラック野郎シリーズ』に『ダイナマイトどんどん』…嗚呼、タイトルだけでもキリが無い。きっと天国では日本版『エクスペンダブルズ』の撮影でも始まるんでありましょう。偉大なお二方に改めて合掌です。

中野貴雄（脚本家・中野「怪獣サロン」オーナー）

寒河江さんは奥様と家のヨメとがライブハウス関係で面識があったり、ガメラシリーズで共通の知り合いがいたりで、でも直接お会いしたことは数えるほどしかないんですが、ある日突然ご連絡が来たんですよ。僕がブログかなんかにつけてたタイトルの「『君よ粘土の河を渉れ』というのを連載で使わせてほしい」って。そんなんダジャレですし、そもそも西村寿行が元ネタですから、どうぞご自由になんですが律儀にご挨拶されて恐縮しました。

寒河江さんと僕はともに大阪府出身で太ってて、眼鏡で体型も似ていて、多分同じ〈種族〉なんですよね。どこかの撮影現場かイベントか忘れましたが、なんかでお会いした時、すごい太っててニコニコしてる人が挨拶してきたなあ、ドッペルゲンガーかな？　と思いましたが寒河江さんでした。

その後某社でご当地怪獣の小説集を出すことになり、僕は大阪府の怪獣〈ヒョウガラヤン〉の小説を書かせていただきました。大阪と言えばよしもと新喜劇で、小説もよしもとの舞台をそのまま小説化したものなんです。客観的に説明しにくい、あの大阪の独特のノリ。とりあえずあるものは全部載せするスタイル。サービス精神なのか何なのかよくわかりませんが、一旦オーダーされたら、自分の出せるモノを緻密にギッシリつめこんじゃうタイプ。

寒河江さんの作品を見ても、あちこち緻密につめこんでる。対象に対して感じたこと・言いたいことが、ヘラの先っちょでディテールとしてビッシリ表現してある。

寒河江さんは日夜粘土と格闘して「世界を作り出す」職業じゃないですか。映画スターや怪獣やモロモロを指先でこねだして、言ってみればこの世の森羅万象を手のひらに乗っかるぐらいに圧縮して再現する。こりゃあ命削っちゃうよな、と思いました。体調を崩されて、それでもなお病室で粘土をこねてたみたいなお噂を聞いて、世界を、宇宙を、もっともっと作り出したかったんだろうなと思いました。本当に粘土の河を渉るとは。

サガエデイズ
君よ粘土の河を渉れ！

2015年

1月　監督の思い出と昨年の不思議なご縁

一昨年から兵庫県伊丹市にある大阪芸大短大部で教えることになって東京から関西通いなんですが、毎週宿泊している常宿「伊丹シティホテル」のお話です。今から21年前、大阪の実家住まいだった頃、伊丹映画祭のゲストで来ていたその監督がこのホテルに泊まってると知り、自主映画の監督だった先輩とふたりで朝から待ち伏せ。朝食でやって来たその監督をホテルのレストラン前でロックオン、「次のゴジラ参加させてください！」と直訴の俺。稚拙なポートフォリオを見せてフィギュアを作っている旨しゃべり倒したはずですが頭真っ白。名刺を渡すので精一杯だったんですが、その監督は迷惑がらずに聞いてくださった。それからしばらくして…その方から実家に直接電話があった。翌年制作される特撮映画『ヤマトタケル』でマケットを作ってほしいとのこと。イキナリだった。ムチャクチャびっくりし、本当にうれしかった。その後、東映ヒーロー番組を手掛ける特撮研究所でお世話になり始め、『ガメラ 大怪獣空中決戦』を経て、モンスターズの若狭新一さんの下『ゴジラVSデストロイア』で怪獣造形スタッフに加えていただいた。念願のゴジラ。事実上劇場公開映画としてはその監督が最後に撮られたゴジラだった。怪獣映画を取り巻く状況が次第に厳しくなり、現場も無くなっていき、監督とお会いする機会も少なくなった。たまにイベント等でお会いした時「どうなんだよ！」「お前はいいよな！」とイタズラっぽく定番の声をかけてくださった。昨年米国でのゴジラ復活もあって関連イベントがたくさん行なわれ、精力的にそのプロモーションに力を尽くされた監督。今夏はシカゴの怪獣コンベンションG-FESTのゲストでご一緒することになった。12時間のフライトは自分にとっても辛く、監督もかなりお疲れのご様子だったんですが、ファンの前ではとてもにこやかで元気な姿を演じられていた。『ゴジラVSデストロイア』が上映され会場は満員、そして大喝采。本当に感慨深かった。ドン・フライさんと3人でコスプレコンテストの審査員を務めたり、一緒に食事をさせていただいたり、思えば監督ともっとも親しくさせていただいた数日だった。

もちろん偉業はゴジラだけじゃない。「ジオン驚異のメカニズム～」のナレーションで始まる当時のガンプラのCMも監督のお仕事。あのCMが無ければ社会現象となった程のあのガンプラブームは無かったかも知れない…と考えたら、本誌ホビージャパンもキャラクター模型の状況もさらにはフィギュア文化も今とは違っていただろう。自分が立ち上げた企画『ご当地怪獣』では「協力」というクレジットでご意見番として参画してくださった。この企画を拡げる為に「映像が必要だ」と監督。ということでただ今PV制作中。助監督や絵コンテで監督を支えたひとりである今井聡監督にメガホンをとっていただく。実は21年前のあの日、一緒に待ち伏せしたのが今井さんだった。「こないだ伊丹に行ったんだよ」と監督。伊丹にある小西酒造とゴジラのお酒を作ったとのこと。そして、自分は短大部なんですが同じ大阪芸大の4年制（自分の母校）でも自分と同時期に先生になられた。昨年は母校で校内にミニチュアセットを組んで学生達と『ガンボット』という特撮作品を撮られた。本当に不思議なご縁を感じまくりの一年だったんですが、監督の訃報を聞いたのは今月号※掲載のコトブキヤ スーパーXⅡのディオラマ製作中のまさにその時だった。絶句した。

震災以降、伊丹の街は随分変わってしまったけど、今朝も待ち伏せしたあのホテルから学校へ。

※月刊ホビージャパン2015年1月号

2月　キャラデザインの足し算引き算

劇場版の『妖怪ウォッチ』、東宝史上最高の前売り売り上げを記録し空前の大ヒットらしい…って、この作品、アニメもゲームも疎くて薄っぺらい情報しか知らないんですがそんな自分でも街を歩けば目につきまくりのオレンジ色の猫のキャラクター。大きな黒目、腹巻き、猫又モチーフなのか二股の尻尾…と個性的な特徴いろいろなんですが、気づいたポイントがひとつ、猫キャラなのにジバニャンにはヒゲが無い！…ということで今回はキャラクターデザインの足し算と引き算の話であります。猫モチーフは可愛いキャラクターの王道と言っていいでしょう。古くは『トムとジェリー』や『フィリックス・ザ・キャット』、日本でも大手東映アニメはずっと『長靴をはいた猫』のペロを看板キャラクターにしてきた。さらにグワーッと歴史を遡れば紀元前のエジプト壁画なんかにも「神」というある意味キャラクター化された形で登場していたわけですから歴史の厚みがものすごい。大島弓子の『綿の国星』をきっかけに80年代あたりから「女の子＋猫耳＝カワイイ」という公式も定番化。昨今ではガシャポンなどの企画フィギュアやＬＩＮＥのスタンプ等キャラクター化される場所自体が拡がったせいもあってさらに爆発的に増えたように思う。そんな状況ゆえ他の猫キャラとの差別化も難しいところ。アレンジしてみたりいろいろ足してみたりと苦心されているわけですが、メジャーな猫キャラクターは猫自体の特徴的な要素をあえて引き算されていることに気付きます。ジバニャンのヒゲは言った通りですが同じく東宝系のヒットアニメシリーズ『ドラえもん』は、ご存知の通り猫の可愛い大きなポイントの耳が無い大胆さ。ブルーの体色や丸いプロポーション等猫にあるまじき要素だらけなのにさらには猫耳まで引き算してしまう大冒険のデザインがこれだけ時代が変わっても古くならず永く愛される要因のひとつなんじゃないかと思うのです。「猫－猫耳」と言うことでもうひとつ有名なキャラクターが『E・T』。「宇宙人やん！　猫ちゃうやん！」って？　いえいえデザインのカルロ・ランバルディは猫から耳を取った顔をイメージしてスケッチを描いたとのことですよ。ドラえもんとE・T、日米の子供と友情を育むSFキャラクターの意外な共通点にちょっと驚くわけです。「耳が無い」と言えば、『アンパンマン』の世界は食べ物に動物に菌に自然現象に…とありとあらゆるものがモチーフとなってキャラクター化され、パンがヒーローなのにチーズは擬人化されず犬のままだったり、もうキャラクター大渋滞の大混乱な中で生活していらっしゃる人型キャラクターのジャムおじさんとバタコさん。あのふたりの顔に耳が描かれてないのはお気づきだろうか？　あの無茶苦茶な世界観にふたりが馴染んでしまっているのは、もしやそういうある種の違和感が演出上利用されているのかもしれません。猫に話を戻せば、日本発の世界的に有名なキャラクターのハローキティには口が無い。無いと言うよりむしろ、猫を示す耳とヒゲ、女の子を示すリボンのみ…と最少ポイントのみで無駄なものを一切引き算した記号化されたデザインが国境を越えていろんな文化圏にも通用する理由なんでありましょう。

って、造形屋である自分がデザインのことを偉そうに語ったのは、もちろんずっと推進中の『ご当地怪獣プロジェクト』ゆえのこと。全国の名物や名所をモチーフにして怪獣をデザインし続けるという作業ももう3年以上。足したり引いたり…時にはふたつのモチーフを掛け合わせてみたりとこの作業は果てしなく続くのであります。

3月　卒業に思うこと

オタク卒業のタイミングって一体何なんでしょう。例えばコレクターの人だったら収納や経済的理由で限界を感じた時、あるいは引越しや結婚をするタイミングなんかで止められたりする方もいらっしゃると思いますが、それは「卒業」というよりは「引退」でありましょう。

思えば自分の人生、その卒業のタイミングをことごとく失わされる運命でありました。40代の同世代の方は同意していただけると思うのですが、幼少期怪獣ブーム真っ只中で育った自分。今じゃ信じられないかもですが当時は「近頃の大学生は漫画を読む」っていうのが新聞記事になったぐらいの時代背景、小学生の頃は親や親戚のおば様方から「中学生になったら『怪獣』卒業しなさい」と言われ続けて、自分もそういうもんだと思ってすっかりその気だったんでありますが、まず講談社ワールドスタンプブック「怪獣の世界」がやってきて俺の中の怪獣熱再燃で集めまくり、そして怪獣消しゴムブームで完全に留年決定。留年すれば履修しなければならない必須科目が年々ドンドン更新されて、ヤマト→999→ガンダムのアニメブーム、さらにはスター・ウォーズと卒業させせない追試案件が目白押し。そして、ガンダムからのガンプラブームが決定打。これはもう実習授業なわけですから難易度さらにアップです。当コラムの掲載誌であるホビージャパンも投稿コーナーがそうだったりするんですが、高校の頃は「ふぁんろ～ど」「ＯＵＴ」「ビックリハウス」と読者投稿のネタ雑誌が全盛の時代。自分にとっては「宇宙船」もそうなんですが、今のネット文化につながるネタやイラストや造形なんかを投稿するという単なるファンからアマチュアながら「作家」になれる土壌ができてしまって、やっぱりここでも卒業できませんでした。大学時代はもうまっしぐら、当時関西はＤＡＩＣＯＮフィルムの影響色濃しで、毎年行なわれるグリーンリボン賞という特撮自主映画のイベントなんかもあって、怪獣やら変身ヒーローやら戦隊モノやらのパロディ自主映画ばっかりで特撮ごっこに明け暮れる日々。しかし！　しかしですよ。今年のアカデミー賞ですよ！　変身ヒーロー俳優のその後の奮起を描いた『バードマン』が4冠。さらには長編アニメーション賞が『ベイマックス』ですよ。20数年前、戦隊パロディ自主映画やってた頃（いや今でも？）、天下のディズニーが戦隊モノアニメを作ってしかもアカデミー賞獲るなんて思ってもみませんでしたよ。もう「俺たちは間違ってなかった！」って。そもそも卒業とは「学校に於いて定められた教育の全課程を修了する事」とのこと。その「全課程」が学ぶよりも早くしかも無限に更新&拡大されていくんですから卒業なんてできるわけがありません。

そんなこんなで、すっかりアラフィフのおっさんと化してしまった今も相も変わらず怪獣映画のミニチュアやらフィギュアなんかを作ったりしてご飯を食べさせていただいているありがたい人生なんでありますが、一昨年にまったく思ってもみなかった転機、大阪芸大の短大部でフィギュア製作を教えるという立場に。あれから2年、おそらくはフィギュア製作に特化して専門で教えるコースは他大学には無いでしょうから、今年、世界初（？）のフィギュアコース卒業生が誕生することになりました。果たして彼らがこれからどんな道を歩むのか。自分が願うことは、自分の人生なのでよどみなく我侭にそして健康にそれぞれのオタク人生を突き進んでほしいということです。贈る言葉は「君よ粘土の河を渉れ！」。

4月　奇跡の特撮リスペクトバンド 科楽特奏隊

出会いからしてDEEPだったのです。昨年夏の日活撮影所でのこと、田口清隆監督『ウルトラマンギンガS』撮影にて怪獣（無双鉄神インペライザー）から逃げる人というエキストラに田口監督の（自分を含む）友人達が集められた訳ですが、そこで出会ったのが彼らでした。撮影はワンカット一発OKですぐ終わったんですが、その日は自分にはそのすぐあとにもうひとつイベントごとがあったのです。撮影所の近所にある特殊メイクアーティスト藤原カクセイさんの工房「ダミーヘッドデザイン」、そこに関東の方ならご存知のTBSラジオ生放送『大沢悠里のゆうゆうワイド』のコーナー「毒蝮三太夫のミュージックプレゼント」の収録があり、これはもう見学に行かないと！と彼らと一緒に向かったのでありました。彼らの名は「科楽特奏隊」。「特撮を愛し、特撮を奏で、特撮を広める」をスローガンに、ゴジラや円谷プロ作品等の往年の特撮楽曲をカッコイイバンドアレンジ奏でる特撮リスペクトバンド。ということでメンバー紹介（敬称略スミマセン）。Vo&Gtは北斗ヒョウリこと、カナダツアーも成功させた「オワリカラ」のタカハシヒョウリ。Bass&Voはモロボシ・ライダーンこと、「夏の魔物」「大森靖子&THEピンクトカレフ」の大内ライダー。Gt&Synthの遼秀樹こと中村遼は「弾神オドロッカー」やMXTVのショートアニメ『ごはんかいじゅうパップ』の音楽も担当。Drumsはハヤタ・森こと「シガレットケース」のマスダシン。そしてSynth&Voはエミソンヌこと「ボタン工場」のおかもとえみ。みんな20～30代。さらには他のバンドにはいない「技術班」というパートでイッチの谷博士がスーパーロボット・イッチバロン操縦！…それぞれが自分のバンドや音楽活動をし、国産の怪獣映画がほとんど無くなってしまった現在の言わば有事に集結、出動。彼らのLIVEはまさに圧倒的。特撮と言っても彼らが奏でるのは、ニチアサとかじゃなく昭和ゴジラと60～70年代円谷作品のテーマ曲が中心。伊福部、佐藤勝、冬木透…もうもうただただオッサン感涙です。YouTubeでLIVEの映像がいくつか上がっているのでぜひ見てみてください！　思えば自分が始めた『ご当地怪獣』のプロジェクトも怪獣不在の今を憂いて始めた企画。若い人や子供達に往年の怪獣の魅力を伝えようと頑張っている訳ですが、世代間ギャップもありなかなか声が届かないもどかしさ。そして、そのPVを作ることになり、特撮達人の音楽家・福田裕彦さんから楽曲オファーしたのが彼ら。『ご当地怪獣』と新潟県魚沼市の怪獣「ドキラ」のきっと子供達や彼らと同世代にも届くムチャクチャカッコイイテーマ2曲が完成したのであります。さらには先日、ご当地怪獣の短編小説集も出版され、上原正三さんや池谷仙克さん等レジェンド級の正に錚々たる方々が参加してくださったのですが、そのドキラ編は原作者のひとりである村井さだゆきさんが執筆し、その挿絵を戦隊怪人や東宝怪獣のデザインで知られる岡本英郎さんが書いてくださいました。自分の東宝特撮デビューは川北紘一監督が特撮を手掛けられた『ヤマトタケル』でのデザインワークスなんですが、岡本さんは実はそこで御一緒したご縁。さらにさらにここで奇跡、ドキラのテーマ曲のボーカルのおかもとえみさん、実は岡本英郎さんのお嬢様なのでありました。なんということ！…と言うことで、話は最初に遡ってラジオの生放送の件。毒蝮さんと言えば科学特捜隊のアラシ隊員。放送中は無茶振りでアカペラでウルトラセブンの歌を歌わされ、いじり倒された彼ら（笑）。科学特捜隊VS科楽特奏隊のスーパーバウトの奇跡。特撮で奇跡を呼び続けるバンド科楽特奏隊の未来に今後も期待します！

5月 TOMORROW

『パシフィック・リム』『Godzilla』に続き、今年2015年は『進撃の巨人1&2』、2016年国産『ゴジラ』、2017年『パシフィック・リム2』、2018年『Godzilla2』…と、怪獣好きにとっては黄金の日々がやって来ます！ いやもうあと4年間は死ねません。巨人とゴジラがヒットした日には続編や他社怪獣の復活も夢じゃない。春の到来であります。『ゴジラ FINAL WARS』から11年、本当に冬が長かった。ということで、今回はその冬を野心的に生き抜いてきた怪獣馬鹿、…ひとりの男のお話を。

昨夏、伊賀市の忍者映画祭で女優の神楽坂恵さんとご一緒したご縁で旦那様の園子温監督から試写状をいただいちゃいまして観てきました。映画『ラブ&ピース』。今年は『リアル鬼ごっこ』『新宿スワン』『みんなエスパーだよ』『ひそひそ星』…と公開作が目白押しの超々々多忙の園監督が選んだのは、なんと「手間のかかる」でおなじみの怪獣映画。そう、『ラブ&ピース』は怪獣映画なのです！ 人が追い込まれていく様を過激な描写で描く園監督ですが、本作ではうって変わって「ファンタジー」…いや違う、何て呼んでいいのか分からない。リアルな世界をコミカルに、夢の世界をリアルに描くなんとも不思議な「切なさ」溢れる映画。特に終盤の怪獣が街で暴れる（？）シーンは、久々にスクリーンでリアルなミニチュア特撮が観られてうれしくなること必至ですのでぜひ皆さんも劇場で。その怪獣のシーンを演出したのがその男「怪獣馬鹿」田口清隆監督（室蘭市出身35歳）であります。

9年前、府中の映画館で『グエムル漢江の怪物』を観終えて劇場を出たところでバッタリ。実はそのさらに5年前に自分が特撮美術をやった『さくや妖怪伝』にインターンで現場に来ていた彼、当時まだ19歳。その後、ウルトラ、ゴジラ、ライダーの現場で助監督、美術助手、合成助手…と潜伏（吸収）していた。久々の再会に「観

てください！」と自分にくれたＤＶＤがまだ未完成の特撮自主映画『Ｇ』でした。平成ガメラや平成ゴジラ、エヴァンゲリオンを観て育った世代が作ったその怪獣映画はとても新鮮で正に野心作。劇中自分が住んでいる町・調布が破壊されていく様は痛快でした。それからしばらくして完成し、『大怪獣映画Ｇ』としてジェネオンよりＤＶＤ化。そして監督としてプロデビューした彼は、他にもＮＨＫの番組で制作した『長髪大怪獣ゲハラ』、大畑創監督と作り上げた『へんげ』『ハカイジュウＰＶ』、樋口真嗣製作総指揮のドラマ『ＭＭ９』、円谷プロの『ネオウルトラＱ』『ウルトラゾーン』『ウルトラマンギンガＳ』、特撮を担当の『めめめのくらげ』（監督／村上隆）、さらには『THE NEXT GENERATION -パトレイバー』にまで怪獣を登場させた。怪獣冬の時代に撮りに撮りまくったそのほとんどが怪獣モノ。種火が途絶えることなく今に繋がったのは彼の功績が大きいといっても過言ではないでしょう。そして、自分が評価したいのは昨年より彼が始めた「全国自主怪獣映画選手権」なるイベント。石井那王貴監督『ハジラVSキングデスラ』、前畠慎悟監督『解夢-ゲム-』等、新しい世代の俺たちの怪獣映画が確実に育っていて、怪獣映画を懐古趣味的に捉えず、さらに未来につなげようとしている。さらには、新しく始まる『ウルトラマンX』でメイン監督を務めるとのこと。16年前『さくや』の現場では俳優の田口トモロヲさんにちなみ「トモロー」とあだ名で呼ばれていた彼、今怪獣映画の明日（tomorrow）を担う存在となった。もう若手じゃない。「頑張れトモロー！」

6月　観るべし、虎影

只今全国の映画館で公開中の西村喜廣監督『虎影』をお薦めしたいのです。昨年夏の「伊賀の國忍者映画祭」で観て以来もう『虎影』の虜。西村さんといえば特殊造形&メイクのアーティストであり、世界中のファンタ系映画祭を湧かせたカルト映画監督。井口昇監督や園子温監督、山下雄大監督作品などの特殊メイク等を手がけ、監督としても米国でリリースされた『東京残酷警察』を始め、『吸血少女対少女フランケン』『ヘルドライバー』等々それら作品は、ビザール、スプラッタ、ゾンビ、リスカ、人体改造…に加え、60~80年代の日本のマンガ文化やB級映画のフレーバーを自分ら世代ニヤリの絶妙ブレンドした強烈個性の映像で海外のその手の映画ファンも熱狂させた正にカルト映画監督。もちろん今回の『虎影』もソッチ方面な感じで楽しみにしていたわけですが、大いに…正に大いに裏切られました。「ムチャクチャ面白いィィッ!」って!　ソッチ方面苦手な食わず嫌いの方にダマされたと思って観てほしい、お子様も無問題のファミリー向け(↑ここ重要!)のド直球の超娯楽映画なんですよ!

西村さんからすれば今までとスタンスは大きく違っていないのかも知れません。人を楽しませたい(そしてちょっと笑かしたい)と。思えば、突然歌いだしてMVみたいになったり、謎の生き物が何の説明もなく出てきたり、血もブシューってなったり、今までの西村映画のスタイルは貫かれているのに、今までとは異なるカッコ良さと笑いと涙…そう!　涙っ!　詳細は伏せますが、主人公の虎影が追い詰められて感情を吐露しながら走り出すとあるシーンで俺もうブワッと涙が溢れてしまいましたですよ。レオスカラックス監督『汚れた血』のD・ボウイのモダンラブがかかる中ドゥニラバンが走るシーン、塚本晋也監督『バレットバレエ』でラスト塚本監督演じる主人公が泣きながら走るシーンと並ぶ、新三大「感情高ぶり走りだすシーン」勝手に認定です。そして、なんせ忍者映画です。アクションが笑っちゃうくらい面白い！　冒頭から忍者バトルの応酬でこれでもかと！　中盤の（これも詳細避けますが）ある物に乗ってのスピード感満載のバトルシーンは、観ていてサブイボたちまくりでニヤニヤが止まりませんでした。

もちろん、俳優さん達も激素晴らしい。なんてったって凄腕の忍者を演じる斎藤工さん。デビュー当時、河崎実監督の『兜王ビートル』『電エースハンケチ王子の秘密』の現場でご一緒し、また自分が人形製作で参加の飯塚貴士監督『ニンジャセオリー』『補欠ヒーローＭＥＧＡ３』では声を演じてくださり、お会いしたことあるんですが、俳優を超えて正に「映画人」。クールなキャラクターに内なる熱い（映画）愛が今回の虎影役にビタッ！　とハマります。壁なんかドンじゃなくドガァーンと突き破るくらいのカッコよさです。女優陣もムチャイイ。しいなえいひ＆水井真希の常連組に芳賀優里亜、鳥居みゆき（！）、屋敷紘子、三田真央（敬称略スミマセン）…皆さんアクション全開の素晴らしさ。特にこの映画の清野菜名様は『TOKYO TRIBE』の時の１００倍カッコイイです！　俺もうベタ惚れですよ。斬られたい！

…と、いろいろもったいぶって、しかもハードル上げまくってしまったわけですが、それでも足りないくらいお勧めなんで、未見の方はぜひご家族で観ていただきたい俺リコメンド映画です。夏公開の樋口真嗣監督の実写版『進撃の巨人』で造形Ｐを務める西村監督。その予習としてもぜひです。

7月　伝説の星くず兄弟

6月15日、渋谷club asia『映画「星くず兄弟の伝説」30周年記念 STARDUST BROTHERS LIVE!』に行ってきた！ いやぁ泣けた！ 感無量とはこのことです。…って、読者様おいてけぼりですね、スミマセン。今から30年前に公開された和製ロックミュージカル映画『星くず兄弟の伝説』は、自主映画界のトップランナーだった手塚眞監督（当時23歳！）の劇場映画デビュー作。大学一年生の18歳だった俺、制作中はファンクラブにも入ってて、公開直前の大阪バナナホール記念ライブ行って、もう刺激を受けまくったわけですよ。これまた大好きな映画『ファントム・オブ・パラダイス』のオマージュとして制作されたその映画はペーパーアニメにモデルアニメ、特殊メイク、ミニチュア特撮等々…VFX以前のアナログな映像技術満載でイイ意味でハチャメチャ。その特殊メイクは、ホビージャパン読者には「ガメラ造形の」でお馴染みの原口智生さん。氏の工房Funhouseが手掛けたモンスターたちが大量に登場します。元々が近田春夫氏の架空の映画サントラをベースに作られた映画なので音楽が満載です。実際の映画のサントラもアナログLP盤しか出てないんですが、もちろん当時は針を落としてヘビーローテーション。今回のLIVEでは残念ながら星になられた戸川京子さん&尾崎紀世彦さんの出演は叶わずですが、（以下敬称略スミマセン）主題曲の赤城忠治に、主演のスターダストブラザーズ高木完&久保田慎吾のお2人、ライバル虹カヲル役元祖ビジュアル系バンドDER ZIBETのISSAY（今思えばカヲルって渚さんのネーミングに関係あり?）、と出演者陣に加え、手塚監督、近田春夫、窪田晴男、Noel&Gallagher、加藤賢崇、オールドラッキーボーイズ、さらには飛び入りで近田春夫御大が鍵盤叩き、野宮真貴、サエキけんぞう、さらに「新スターダストブラザーズ」として、氣志團の綾小路翔&森山直太朗が乱入！ 最後は全員でテーマ曲「星くず兄弟の伝説」を大合唱！ ついには手塚監督から「続編を作る」との発表もあり（↑これは何とかして参加したい！）30年前にググッとタイムスリップ！ 帰り道「クククククレイジー♪」鼻歌を歌ってしまうくらい本当に幸せ満載な3時間でありました。

思えば18歳前後のアノ頃に好きだったモノ影響を受けたモノって、すっかり中年オヤジとなってしまった今も好きなんだと実感したわけです。

先日、教えている大学で海洋堂宮脇（センム）社長と「ガレージキットの歴史」みたいなお題で講義したんですが、その時にちょうど20～30年前の海洋堂のガレージキットのカタログや冊子なんかを資料で用意してもらいました。そこに載っていたのが『スター・ウォーズ』「恐竜」『ゴジラ』等々と新作映画が作られるのばっかり！ まるで2015年に開けるよう設定されたタイムカプセルのようでした。

8月 喰べる。

夏休みは劇場映画が大盛り上がりの大混戦！ 最近日本ではちょっと元気がなかったハリウッド映画が『マッドマックス 怒りのデス・ロード』『ターミネーター：新起動 ジェニシス』『アベンジャーズ エイジ・オブ・ウルトロン』『ミッション：インポッシブル ローグ・ネイション』…とこれでもか！ とアクション超大作乱れ撃ちの大攻勢！ そしていよいよ真打『ジュラシック・ワールド』がやってきた！ 恐竜たちが捕食本能で襲い来る恐怖、そして後半のVSバトル！ ともう涙々の正に「怪獣映画」でありました！ いやもうヴェロキラプトル飼いた過ぎてたまりませんですよ。

さて、我らが日本。迎え撃つは、樋口真嗣監督の特撮アクション大作『進撃の巨人 ATTACK ON TITAN』！ 公開と同時にネット上では炎上騒ぎやら賛否入り乱れの意見飛び交うなか、公開日の週末興行ランキング見事一位！ 日本でのギャレス版『Godzilla』の成績を超える勢いで50億狙えると言うですよ。自分もミニチュア製作スタッフのひとりとしてお手伝いさせていただきましたゆえ、大応援であります。レイティングを振り切った巨人の過激人食いシーンは、きっとTV放映の際には編集されちゃうでしょうから映画館でゼヒでよろしくお願いします。

今年の東宝の特撮映画は山崎貴監督『寄生獣 完結編』に始まり『進撃の巨人』2部作、そして公開が待ち遠しい佐藤信介監督『アイアムアヒーロー』と異形の者が人間を襲い捕食する「人食い」の映画が続く。このテーマで映画が語られることってあまり無いかもですが、昔から確実に恐怖を描くひとつのジャンルでありました。古くは吸血鬼映画。『吸血鬼ノスフェラトゥ』は1922年制作と言うから歴史は長い。またジョージ・A・ロメロから始まる一連のゾンビ映画は言わずもがなですが、そのジャンルの最初の爆発大ヒットは1975年の『ジョーズ』でしょう。サメが人を襲い喰う、この恐怖はジュラシック・パークシリーズに繋がり、スピルバーグは正にそのオーソリティーなんだと。当時、ジョーズの大ヒットを受けて日本で制作されたのが「家が女の子たちを食べる」という奇想天外アイデアの俺の大好きな映画、大林宣彦監督の『ＨＯＵＳＥ』！東宝映画であり、この映画の特撮を担われた島村達雄さんが設立の「白組」が『寄生獣』のＶＦＸを手掛けていることを思えば正に歴史は繰り返すという感じでしょうか。

本多猪四郎監督『サンダ対ガイラ』、リチャード・フライシャー監督『ソイレントグリーン』、ジャン＝ピエール・ジュネ＆マルク・キャロ監督『デリカテッセン』トレイ・パーカー＆マット・ストーン監督『カンニバル！ＴＨＥ ＭＵＳＩＣＡＬ』と俺大好きな監督の映画にこのテーマのものは多いんですが、現在公開中の日本映画でもう一本。視点はまったく違うので一緒に語るのは否定意見もあるでしょうが、本当に大好きな塚本晋也監督『野火』もお薦めしたいのです。「食われる」恐怖でなく「食う」という衝撃。塚本監督が「反戦」「嫌戦」の強いメッセージを映像に叩きつけた傑作。今夏公開の意味。このタイミングでぜひ観ていただきたいのであります。

そして、「食われる恐怖」という意味ではおそらく究極なんじゃないかと思うイーライ・ロス監督『グリーン・インフェルノ』もお蔵入りになることなく無事公開決定のニュースが。森林を守るためジャングルに入った学生たちが食人族に捕まってひとりひとり調理されていくというストーリー…絶対観たくないです（って、観るでしょうが）。

9月 ゲームは1日1時間。

教えている学校で、4月の最初の授業で新入生に自己紹介を兼ねて名前とともに「今好きなキャラクター」を語ってもらったりしたんですが、トレンドが毎年ガラリと更新されておっさんの自分は追いかけるのが大変です。2年前は『進撃の巨人』あたりで昨年は『弱虫ペダル』とまあ「漫画→アニメ化」流れの作品が学生らの間で流行っていた感じですが、今年は『刀剣乱舞 -ONLINE-』と『ラブライブ!』の2大勢力が圧倒的。今夏自分らの周りでは本当に盛り上がった映画『マッドマックス 怒りのデス・ロード』ですがそれを抑え3週連続一位、150万人以上動員の大ヒットとなった『ラブライブ! The School Idol Movie』。漫画・アニメ・音楽とメディアミックスで仕掛けられている訳ですが、その火付け役として大きな要因となっているのはスマホゲームとのこと。『刀剣乱舞 -ONLINE-』は言わずもがなのブラウザゲーム。コトブキヤさんの秋葉原での物販イベントの大行列が騒動になる程でこの盛り上がりは伝わるというもの。一方、子供文化に目を移せば『ポケモン』は20年前から未だヒットコンテンツだし、昨年の『妖怪ウォッチ』のブームは今年も継続中。30年前ドラマ『スケバン刑事』の中で河合その子が「ゲームなんだよ!」と言いましたが、そう、ゲームなんですよ。

ゲームのキャラクターが漫画やアニメのそれと同次元で語られる様になったのはいつの頃からだろう。シューティングゲームくらいしか無かった頃は「キャラ」ではあるものの未だ単なる「銃」と「的」でしか無かった。アーケードから家庭用にゲーム機が進出し、スーパーマリオ等でキャラクターとしてグッと進化した…と言っても、未だ操作する人形的な存在。大きな転換はロールプレイングゲームの登場ではないでしょうか。『ドラゴンクエスト』や『ファイナルファンタジー』は80年代後半から大ブームとなりましたが、やはり大河ドラマのような深いストーリーとオープニング映像等に見られるビジュアルの進化はそのビッグバンとなったと言えましょう。鳥山明や天野喜孝等、漫画界アニメ界の天才がそのデザインを担当したことも大きかった。その後の『バイオハザード』や『サイレントヒル』『メタルギアソリッド』等の実写映画を凌駕するリアルなビジュアルでひとつの到達点を迎えたと言えましょう。それを「自分で操作出来る」んですから当然そのキャラクターへの思い入れも深くなる。そこが他のメディアが敵わない1番のポイントと思うのです。そしてその「思い入れ」ということにおいては、育成ゲームや恋愛シミュレーションはもう…説明不要ですよね。

今大ヒット中の映画『ピクセル』。『ギャラガ』『スペースインベーダー』『パックマン』『ドンキーコング』の80年代ゲームキャラ達が地球を襲う！　しかもドットキャラそのままの姿で！　ゲーム原作がハリウッドで実写映画化された例はありますが、ゲームのキャラが『エヴァンゲリヲン』の使徒よろしく物理的理屈無視な存在として可愛いデザインのまま襲い来る様子は正に恐怖。ところでこれ、自分らおっさん世代には懐かしいキャラクターばかりなんですが、若い人達にはどう映っているんでしょう。ハリウッドと言えば、来年の12月にはスピルバーグ監督で話題のSF小説の映画化『ゲームウォーズ』が公開されるらしい。近未来、電脳空間でエヴァが！　ガンダムが！　メカゴジラが！　ウルトラマンが！　しかも主人公機は東映スパイダーマンのレオパルドン！　ムッチャ観たい！　って版権大丈夫なのかっ⁉

10月 日本のハロウィン

毎週の関西での学校仕事を終えて新幹線で自宅のある東京に戻れば深夜。駅から家までは自転車を利用することが多いんですが、帰宅途中に通る畑に沿った一本道は街灯も無く真っ暗。ある日、いつものようにその道を家路へと急いでいたら、向こうにボオッと青白く光る玉のようなものが浮かんで見える。ゆらゆら浮かんでいるそれをよく見ると…顔！顔が浮かんでいる！うわーっ…と思った刹那、正体判明。顔の間近でスマホを見ながら歩いている男の人でした。スマホの画面の光が顔に反射して、しかも下からの照明効果（顔に懐中電灯を下から当てて怖い顔にするアレ）で、さらには黒い服着ていたので、本当に顔だけが浮かんでいるように見えて一瞬ですが本当にビックリしました。

ビックリしたと言えば、ちょうど昨年の今頃のお話。夜、新宿歌舞伎町前交差点辺りを通りかかると車道にはみ出すんじゃないかと思うくらいのびっくりするほどの人混み。何かと思えば「激安の殿堂 ドン・キホーテ」に入店する為の列になっていない行列でした。パーティグッズとして売っているコスプレの衣装や小道具を買いに集まった人たち…そうハロウィンであります。

日本でもここ数年で急に勢いを増して定着したハロウィン。9月になって来るともうコンビニや100円ショップの店内にはオレンジ色のカボチャが並び始め、なんだか何者かに仕掛けられてる感満載なんですが、このお祭り騒ぎはやはり目を見張ります。起源は古代のケルト人が収穫の時期にやるお祭りで、悪霊を追い払う為に仮面をかぶった…ようなことが、いつしか子供達がオバケや魔女などの怖い格好をしてお菓子を貰いに家を一軒一軒訪ねる…みたいな行事へと変わり、その文化がアメリカに渡ってから年中行事へと定着し、さらに時を経て今では子供達がオバケだけじゃなく思い思いのコスプレをして…となって、さらにはやっと日本に来たらもう「子供達」はどこかへ行ってしまって、大人が街中でコスプレパーティをする一大イベントに。地方の人からしたら信じられないかもですが、10月末の夜は本当に至るところでコスプレ集団に遭遇します。先日ラジオでホラーコレクターでもある芸人のなべやかんさんが言ってましたが、ハロウィンはホラーのお祭りで「アナ雪のカッコするイベントじゃねえぞ！」って、それはまさに同意なんですが、電車内で酔っ払った血まみれメイクのサラリーマンや駅のトイレで着替え中のゾンビに遭遇するのだけは勘弁してください。

とは言え、クリスマスやバレンタイン等日本に定着した海外の行事は色々ありますが、コスプレやグッズ等々で既存のキャラクターを巻き込んで盛り上がるハロウィンは自分ら業界的にはきっと良いこと。例えば今年のUSJなんかは「ホラーナイト」と称して、エイリアン、プレデター、フレディ、チャッキー、バイオハザードのゾンビさん達等々、往年のホラーキャラクターが勢ぞろい。映画では共演がありえないようなホラーアベンジャーズの様相で盛り上がっているようです。知り合いの特殊メイクや造形の方々もそれらのイベントやデモンストレーションなんかで忙しそう。このままキャラクタービジネスが活性化して、いつしかフィギュアの業界にも何か良い影響が出ればいいなぁと夢想ですよ。

楽しく盛り上がってたりすると悪霊も「楽しそう！」って逆に寄って来たりして本末転倒な日本のハロウィンでありますが…いや、もしあなたが本当に悪霊をビビらせて追い返したいなら、コスチュームに頼らず、夜中に街灯の無い暗い道で顔にスマホの光を当ててるのが一番だと思う…そんな秋の夜であります。

11月 科学と空想科学

今年もふたりの日本人がノーベル賞受賞！のニュース。生理学・医学賞の北里大学の大村智教授は細菌学と感染症の研究の成果にて、物理学賞の東大宇宙線研究所の梶田隆章所長はニュートリノ研究という素粒子物理学での評価を受けての受賞。その研究が人類にとってどれだけすごいのかを伝えるTV番組なんかを見ても、凡人の自分にはまったくもってよく分からないのですが（↑特にニュートリノ）、受賞者の子供の頃の話なんかを伝える場面で「鉄腕アトムのお茶の水博士に憧れて…」なんて話を耳にします。確かに昔の手塚治虫先生の漫画に出てくる未来には科学に対する夢がありました。今、現実世界は原発事故もそうですし最近だとマンション建築の杭打ちデータや外国車の排気ガスの改ざん等々、科学や技術を伝えるニュースはネガティブなものばかり。そんな中、ちょっと盛り上がったのが「10月21日」。1989年の映画『バック・トゥ・ザ・フューチャー2』の劇中で描かれる未来が正に2015年10月21日！ということで、さまざまな催しや実現可能かどうかの検証なんかが行なわれたアレです。ナイキが靴紐が自動で結べるスニーカーを限定ですが本当に発売したり、生ゴミ…ではないですが衣料品を燃料に加工して自動車を走らせてみたり、科学にワクワクしたんですが、特に夏に公開された「LEXUS ホバーボード」の動画は本当にビックリしました。劇中登場の宙に浮くスケボーが実現してる！と。タネを聞けば、ボード内に低温維持装置と超電導体が備えられ、永久磁石が埋め込まれた地面の上のみ浮遊走行可能とのことで「なーんだ磁石使ってたのか」なんて思うも、その「超電導」という言葉に自分ら世代はさらにちょっとワクワクするのであります。同じく1989年の映画『ゴジラVSビオランテ』の権藤一佐の「ロボット工学、コンピュータ、新素材に超電導…先端技術のオンパレードか」の台詞。超電導が一体何なのかは「冷やすと磁力が凄くなるアレ」ぐらいの知識でよく分かっていないんですが、ゴジラと戦う兵器に繋がる技術なのかと知ればスルーできません。さらに遡って自分も生まれる前の１９５９年の『宇宙大戦争』のナタール人の冷凍光線により反重力状態にする攻撃も、何で冷やせば物が浮くのかその理屈がよく分からなかったのですが、地球自体が大きな磁石であることを思えば、「超電導」でヘリクツ程度の説得力…ってありませんか、そうですか。自分は子供の頃は漫画やアニメよりもやっぱり特撮映画で科学的なものにときめいた記憶です。例えば、１９６６年の『フランケンシュタインの怪獣 サンダ対ガイラ』で描かれるガイラの誕生は今で言うところのクローン技術。肉片（細胞）から個体が再生されるなんて、映画のその後は描かれていないですが、それって実は東宝怪獣史上最強なんじゃないでしょうか。あと、『VSビオランテ』と言えば、対ゴジラ兵器スーパーXⅡ。以前本誌のコトブキヤさんのプラモデル作例記事でも書きましたが、ふたりのオペレーターが離れた場所から遠隔操作で攻撃するって、まさに現在のドローンの技術。ニュースなどで米軍の最新技術の無人機などが話題になったりしますが、ＧＰＳが一般に実用化されるずっと前ですから驚きです。ドローンと言えば、法律での規制をどうするかが大きな話題となっています。で、ＳＦ作品では定番のネタのタイムマシン。コレが未来に発明されてるなら未来人が現代に未来人の方々が来ててもおかしくないのに未だいらっしゃらないのは、やっぱり法律での使用規制でガチガチに縛られているからなんでしょうねえ…。と、空想です。

12月　GO! 次世代怪獣ファン

ワンフェスや特撮系のイベントなんかで、ありがたいことにこの自分に「サインください」なんて言ってくださる方がいるんですが、最近若い人から言われることが増えてきた。話すと「小学生の頃に『ガメラ2』観ました！」ですって。戦隊シリーズの様に途切れずに毎週ずっと放送されているものと違って、怪獣映画が映画館で観られるのは不定期でしかも公開期間は2ヵ月かそこら、さらには10年以上国産怪獣映画が作られていない状況から考えると、若い怪獣ファンの存在は本当にありがたい（↑いやもちろん自分がおっさんになって周りに年下が増えたのもあるんでしょうが…）。

先月、米国からコミックアーティストのMatt Frankさんが来日された。米国の出版社IDW Publishing発売されている正式なゴジラのコミックシリーズの漫画家の先生。『Godzilla: Rulers of Earth』のタイトルのそれはゴロザウルス、ゲゾラ、ジェットジャガーからビオランテ、デストロイア、さらにはメガギラス、機龍、FWガイガン等々『怪獣総進撃』よりもオールスターな怪獣漫画で怪獣ファン必見です（↑ホビージャパンさんマジで日本語版どうですか⁉）。さて、そのＭａｔｔさんは本人もガチの怪獣ファン。来日中の滞在ホテルはもちろん、新宿歌舞伎町のゴジラヘッドビル。「会おう！」ってことになり、ビオランテをはじめ数々の東宝怪獣をデザインされた西川伸司さん、ティガ怪獣や平成セブンも演じた（このコラムでもおなじみ？の）俳優の北岡龍貴さんを誘って、東宝怪獣も手掛けられた特殊メイク＆造形の藤原カクセイさんの工房へ。怪獣玄人が揃う中ちゃんと英語話せるのは北岡さんくらいなんですが、その辺り心配無用の日米怪獣トークに花が咲きます。「14年のアメリカゴジラって日本では何て呼ぶの？」とＭａｔｔさん。「キンゴジ」「モスゴジ」など対戦怪獣でそれぞれ

のゴジラを区別する日本。これってそもそもは80年代ガレージキットでスーツの違いを区別するためについた名称だと思いますが、米国では例えば初代ゴジラなら「54」など公開（製作）された年代をそのまま名称にするのが一般的。日本でも84年版を「84ゴジラ」と呼んだりしますが、それだと例えば「ゴジラ２０００」は１９９９年公開なので「99ゴジ」に。しかしながら米国公開が翌年２０００年なので大変ややこしい。「ギャレス・エドワーズ監督の名から『ギャレゴジ』だよ。」と教えればなぜか大喜び。しかしながら、ハリウッドゴジラは次回もギャレス監督続投（らしい）なわけで、次のは一体なんて呼ぶ？問題は先送りです。呼び名といえばラドンがRodan（ロダン）、ビオランテがバイオランテ等怪獣の固有名詞自体が米国では違うのは知られていますが、キングシーサーの英語表記がKingCaesar（キングシーザー）なのを初めて知りました。Caesar即ち古代ローマの将軍ジュリアス・シーザーのシーザーですよ。沖縄の魔除けの神獣も美術室の石膏像感で何だかイメージギャップです。

　そんなＭａｔｔさんの今回の来日目的は「海外マンガフェスタ２０１５」と恵比寿のＴＯＹショップ「モンスタージャパン」でのサイン会の為。サイン会には自分も行ってきたんですが、約50人のお客さんへの西川さんとのバトルとも言うべき丁寧なイラストサインは圧巻でした！用意されたペンは全部オシャカになるほど。『怪獣総進撃』の英語タイトルをもじって「Destroy All Pens!」ですと。そんなＭａｔｔさん、歳を訊けば…なんと29歳ですって！「若さってなんだ？振り向かないことさ！」

田口清隆（映画監督）

2000年『さくや妖怪伝』特撮班樋口組で、現場実習の学生として参加した時が寒河江さんとの出会いである。

その頃から「あり物」を使ってるのに、とても細かくリアルで面白いミニチュアを作る方だなと思っていた。またとても後輩の面倒見が良く、面白いことはどんどんやろうという方で、同じ調布の街に暮らしているということもあり行きつけの「宿場」という居酒屋での飲み会によく誘っていただいた。自主映画が大好きな方で、田口の自主映画活動も気に入ってくださり、ある時何かやろうと盛り上がった。飲み会のその場で大まかな企画を考え、そこからスタートした翌週にはクランクイン。悪の秘密結社から逃げ出した戦闘員2人が、追手の怪人と戦う『DUST』という短編アクションモノだった。寒河江さんは主役、ヒロイン、怪人、敵戦闘員の装備、小道具、特殊造形と膨大な作り物をほぼ一週間で仕上げたのであった。この短編はあえて「第3話」という設定で、組織から逃げ出す時の「第1話」はもっと派手なシーンがある、いつかまた撮ろう！とか、他の通常回も暇を見つけてやろうなんて言っていたのだが、実現することはなかった。NHKで佐賀のご当地ドラマ『怪獣を呼ぶ男』の特撮パートを担当した時も、登場怪獣「ワラボス」を作っていただき、多摩川で一緒に這いつくばってミニチュアを撮影したのも良い思い出である。メールホルダーを見返すと、最近はお互い忙しくてなかなか飲みに行くタイミングが合わなかったことが分かる。また宿場で大盛りのカレーを食べながらあれこれ悪巧みをしたいなーと、寂しくなってしまう。

左から中沢健さん、寒河江弘さん、仁科貴さん、私

サガエディズ 君よ粘土の河を渉れ！

2016年

1月　アタック25周年！

『妖怪ウォッチ』が『スター・ウォーズ』を倒し、大晦日からコンビニではもう恵方巻きの予約注文が始まっててビックリだったんですが、無事やってきました２０１６年。今年は手塚治虫先生がデビュー70周年！『ラドン』60周年！『ウルトラマン』『サンダーバード』が50周年！『仮面ライダー』45周年！「ドラクエ」30周年！そして、ワタクシゴトではありますが（って、このコラム毎度ワタクシゴトばかりですが…）今からさかのぼること25年前、師匠である造形家の三枝徹さんのアシスタントを一年ほど経て、その三枝さんより初めて任されてメーカーさんのガレージキット原型を作らせてもらったのが１９９１年…即ち、今年が自分の原型師デビュー25周年なんでありまます。『ど根性ガエル』の劇中で町田先生はひろしが問題を起こすたびに「教師生活25年！」と嘆いてたわけですが、あのベテラン教師とおんなじキャリアなんだと思うとオッサンを超えてもう初老な印象。いや、実際にもう仕事するのに老眼鏡が欠かせないんですが…。

今ではほとんどワンフェスなどで個人ディーラーが作る模型という感じになってしまったので若い読者の皆さんにはもしかしたらピンと来ないかもですが、90年代のその頃は模型メーカーがこぞってガレージキットをリリースしていました。おなじみの海洋堂、マックスファクトリー、ウェーブ、ボークス、コトブキヤ、アニメ製作会社のガイナックスの母体となったゼネラルプロダクツ、そして玩具超大手のバンダイだって「Ｂ-ＣＬＵＢ」のブランド名でレジンキャストやソフトビニールのガレージキットをバンバン出していました。91年に模型メーカーのアオシマが立ち上げたガレージキットのブランド「アルゴノーツ」は『ターミネーター』『ロボコップ』『スター・ウォーズ』など洋画メカ系を中心に製品展開していて三枝さんもそのメインモデラーのひとりでした。当時自分

が担当させていただいたのが漫画『魍魎戦記ＭＡＤＡＲＡ』のキャラクター・マダラとキリンのソフトビニールキットや東映Ｖシネマでは唯一の特撮ヒロイン物『女バトルコップ』の1／12レジンキット等々メインの洋画特撮系ではないのばっかりだったんですが、組み立て解説書に原型師名をクレジットしていただいた時は本当にうれしかったですよ。マダラはファンドで原型製作しました。今でももちろんファンドはよく使いますが、今ではメジャーなスーパースカルピーが当時まだ日本に輸入されていなくて粘土素材といえばファンドぐらいしか選択肢がなかったのです。ソフビキットの原型はその収縮のことを考えたり極端な逆テーパーを避けなくてはいけなかったり難易度高いんですが、そこはゼネプロ初期から原型を担当されていた大先輩の三枝師匠の造形監修のおかげで至らずながらも何とか納品の次第。続く女バトルコップも大苦戦。雨宮慶太&篠原保デザインのそのスーツはＦＲＰスーツ造形では世界レベルのレインボー造形企画制作で本家（？）ロボコップをも凌ぐクオリティー。1／12という小さいスケールでしかもメカということからファンドでなく「ポリパテで作ってください」との依頼。しかし当時の自分は削ってモノを作るのが技術的に拙かったので、最初のフォルム出しでポリパテにポリパウダーを混ぜ込んで粘土状にして造形したのも懐かしい思い出です。さてアレから25年、せっかくなんで25周年の何かをやってみたいなと思うんですが何かアイデアないでしょうか。例えばタイミング合えば造形実演なんかで行きますので全国模型店の皆さんぜひよろしくお願いします。

2月 怪獣映画は自分らで作れる！

現在絶賛（な筈）発売中のホビージャパンMOOK『怪獣大進撃リターンズ』、もうご覧になられましたでしょうか？ イベント限定ではない一般版権系では中々見かけなくなったガレージキットも怪獣系のメーカーさん達はまだまだ頑張っていらっしゃってて、その応援の意味も強く出版されているわけで、もちろん大手メーカー様からリリースされる昨今の素晴らしい完成品フィギュアも良いですが、「それだけじゃないぞ」「雑誌はカタログじゃないぞ」という姿勢と言うか心意気が感じられて、そういうところが大好きですよホビージャパンさん！と、ヨイショはこのぐらいにして…。今回特に見てほしいのが編集のYASさんと盛り上がって「やりましょう！」となった巻末付録「インディーズ怪獣図鑑」のページ。インディーズ怪獣とはindependentすなわち自主制作映画の怪獣のこと。約10年日本では怪獣が主役の映画は（ほぼ）作られていなかったわけですが、そういう怪獣枯渇の状況下で、平成ゴジラや平成ガメラなんかを子供の頃に観た若い怪獣直撃世代たちはその心の空白を埋めるべく自分たちで怪獣映画を撮り出したりして、YASさんなんかは「それこそ応援しなければ！」と尽力くださって本当に良いページになったと思いますよ。30年以上前の昔から特撮自主映画はあったわけですが当時の主流は8㎜フィルム。巻き戻しやコマ撮りなど特撮に向いていた富士フイルムのシングル8という規格で、記憶だと撮影用フィルム一本が千数百円で撮影時間はたった3分20秒。さらに現像代もかかり、その仕上がりは現像後までまったく分からない。撮影機材も特撮に向いている最上位機種のカメラZC1000が当時中古価格でも25万円…と、そのハードルはムチャクチャ高く、よくYouTubeなんかで昔の8㎜フィルムのバカな自主映画が上がっていたりしますが、皆そのハードルを乗り越えてあんなアホなことをしていたんだと思うともう涙なんであります。

今やスマホでも動画が撮れてしまうご時勢ですが、いざ特撮となるとやはりそのハードルの高いわけで、フィギュアに例えるならZBrushと3Dプリンタがあれば誰でも簡単にフィギュアが作れるかといえばそうでないのと同じように、「俺は怪獣映画が好きなんだ！」という強い思いが無いとそれは難しいわけで、あのページに紹介した彼らはそういう猛者なんだと改めて言いたいのであります。特に今回編纂に協力してくださった3人田口・飯塚・前畠監督について。田口清隆監督は中学生の時から怪獣自主映画を撮っているというので若くしてそのキャリア20年以上。ウルトラシリーズ50周年を迎える今年『劇場版ウルトラマンX　きたぞ！　われらのウルトラマン』を監督し、今後も怪獣映画を牽引していくことでしょう！　ちょうどこの号の発売日はゆうばりファンタ２０１６の開催日、今年も昨年に引き続き飯塚貴士監督がＯＰの映像を監督です。昨年は石ノ森章太郎先生デザインの映画祭キャラクター・シネガーがリアルになって巨大化し映画祭を襲う(?)で終わったんですが、今年は開会式のある上映会場の建物がロボに変形しそれを迎え撃つ！　というそこで観ているお客さんには燃える展開に。ちなみにシネガー&ロボともに自分が造形制作しましたよ。また前畠慎悟監督の大作特撮自主映画『解夢-ゲム-』も招待作品で上映されるそう。その前畠監督も高校時代にすでに怪獣自主映画を撮っていて、さらには田口監督が中学生特撮集団「Yプロジェクト」を発掘したりして、思えば『シン・ゴジラ』庵野&樋口監督も自主映画出身なわけで、自主に限らず今後の怪獣映画というジャンルの未来は本当に明るいと確信な２０１６なわけです。ということで熱意ある人、怪獣映画今すぐ始めましょう！

3月　中沢健が、進化している！

アニメ『サザエさん』一家のご近所には伊佐坂先生という小説家の大先生が住んでいらっしゃるんですが、ワタクシ「寒河江さん」の家のご近所にも大センセイがいらっしゃいます。自分、昼食は野菜不足を補うためにサラダバーのあるファミレスなんかを利用することがちょくちょくあるんですが、「ご一緒にいかがでしょうか」とメール差し上げれば十数分でいらっしゃる大センセイ。そんなある日のこと。毎月このコラムを読んでくださっている大センセイから「そろそろ僕のことも書いていいんだよ。」とありがたいお言葉が。はい大センセイ！　書かせていただきます！　ということで今月はこの連載始まって以来の「御本人からのリクエスト」で、作家の中沢健《たけし》センセイについて。

出会ったのはちょうど10年前の2006年、怪獣造形で知られる高山良策先生のドキュメンタリー「怪獣のあけぼの」DVD発売記念イベントがあり、自分はその第1部で、怪獣デザイナーの池谷仙克さんらとトークをし、さらにその第2部の怪獣おたく集合トークみたいなコーナーのゲストのひとりが中沢センセイだったんですが実はほとんど記憶無し（スミマセン）。その後、安斎さんが猛烈に中沢センセイをプッシュしだして、先生の考えた落書きみたいな怪獣たちをキャラクターグッズ化。ある日、安斎さんに「何でそんなに推すんですか」と問えば、「寒河江さんが『彼は面白い』って薦めたからじゃないですか！」ですって。もちろん、センセイがテレビ番組『銭形金太郎』にビンボーさんとして出演されてたことや、HN「たけし怪獣記の怪獣」として2ちゃんなどでご活躍されていたことも知っておりましたが、センセイごめんなさい、これもまったく記憶ゼロです。

しかしながら、多才なセンセイ、その後はあらゆる方面でご活躍され、小説だけでなく、脚本家として『ウルトラゾーン』のドラマパートやインドネシアのヒーロー番組『ガルーダの騎士ビマ』など特撮番組で、未確認生物ＵＭＡ研究家としてファミリー劇場『緊急検証！シリーズ』でレギュラー、さらに特番『ビートたけしの超常現象㊙Ｘファイル』に出演、俳優としてカルト映画作家友松直之監督作に出たり、他にも芸人として舞台に立ったり、監督作の自主映画が国際映画祭で上映されたり、本当に多才すぎて、センセイのお好きなビオランテのようにどんどん形を変えて進化です。しかしながらセンセイの本業は「小説家」。このたび自身の処女小説『初恋芸人』がなんとＮＨＫＢＳプレミアムドラマ化！主演はスペゴジ結城晃の息子・柄本時生さん！ヒロインに元ＳＫＥ48の松井玲奈さんって、すごいメジャーじゃないですか！円谷プロが全面協力でなんと怪獣の着ぐるみも登場です。「売れない特撮芸人が突然現れた少女に恋に落ちる」という物語。原作も発売された頃（6年前?）読ませてもらったんですが、もう切なすぎる展開で、何より特撮マニアが主人公の話っていうのが自分には刺さりまくりです。ドラマは毎週火曜深夜放送中で、小学館から文庫版も発売されたとのこと。読んでから観るか、観てから読むか、よろしくお願いします。と番宣はこのぐらいにして。センセイと会った人がまず最初に驚くのが体中にベタベタ記事(?)を貼った衣装の容姿なんですが、本当に普段着からあの格好で生活されています。電車にもコンビニにもファミレスにも。「小説は読まれてナンボ」の精神からあの格好をされているセンセイ。少なくとも自分が出会って10年、どんなに進化しメジャーになろうともスタイルを貫くその姿勢。生き様。センセイ、カッコイイです!!

4月　ゆうれいのえいが

4月の2日・3日の2日間、大阪の西成区民センターで行われた催し「アリスと歯車」に教えている大阪芸大短大部の学生達とともに出展しました。「不思議の国のアリス」×「スチームパンク」をテーマとしたアートイベントで、アクセサリー等のハンドメイド作品の展示や販売、コスチュームにメイク、ライブパフォーマンス等、関西のその趣向のアーティストが大集合！　自分は粘土による造形実演でアリスの世界観を凝縮した（っぽい）作品を製作。2日ともとても賑わいましたですよ。

4月になって新学期が始まったわけですがこの春休み中の3月中頃までの1ヵ月間はとあるヘビーな仕事で完全缶詰引きこもり状態だった反動でいろいろ出掛ける春。イベントの少し前も久々に映画のハシゴでした。まずは『ヌイグルマーZ』の井口昇監督が仕掛けるアイドルグループ「ノーメイクス」の主演映画『キネマ純情』、そして映画監督の小林でびさんが仕掛ける『でび映画まつり』へそこで上映される新作映画『ゴーストフラワーズ』目当てで。『キネマ純情』『ゴーストフラワーズ』ともに幽霊にまつわる映画。植岡喜晴『夢で逢いましょう』、ジョン・ランディス『狼男アメリカン』、小中和哉『四月怪談』、塚本晋也『ヒルコ妖怪ハンター』、ピーター・ジャクソン『さまよう魂たち』、大林宣彦『ＨＯＵＳＥ』…と、そもそも「死者と出会う」系映画にはとても弱い自分。観た2本とも俺琴線にくる素敵な映画でした。

『キネマ純情』は一言では説明できないハチャメチャで複雑な映画なのですが、かつて主演女優の女子高生が彼氏に殺害され未完成の呪われた（？）自主映画に引き寄せられる女の子たちを描いた作品でいろいろこじらせまくった女の子たちの心情そのものがそのまま映画になっていて、以前、井口監督から「『ＨＯＵＳＥ』の影響受けてます。」

と聞いていて、『ＨＯＵＳＥ』も父の再婚を受け入れられない少女の心情自体を映像にした作品で「なるほど！」と。しかし、そう聞けば欲深い自分はもう「井口監督！　じゃあもう『ＨＯＵＳＥ』リメイクしちゃってくださいよ！」そして俺に羽臼屋敷のミニチュアを作らせてほしいと違う妄想まで拡がってきます。『ゴーストフラワーズ』は、歌うコメディ映画の小林でび監督と関西系バイオレンス映画の石原貴洋監督というまったく異なるタイプの監督が合作したオムニバス映画で、本当に久々に観て幸せな気分になれる映画でした。くしゃみ鼻水に加えて幽霊が見えるようになってしまうゴースト花粉症が大流行する日本…という物語。まさに「死者との出会い」がテーマで、詳細なストーリーは伏せますが、石原監督パートはとても巧みな構成でラストの子供の台詞にボロ涙。でび監督パートも「死者とのボーイミーツガール」な語りはとても新鮮でした。思えば、でびさん代表作は「おばけのマリコローズ」、最早得意分野と言えるかもです。こちら、なかなか観られる機会がないかもですがお勧めなので機会があればぜひに！　です。

『アリス』のルイス・キャロルの原作で小さな幽霊と出会う物語『ファンタスマゴリア』がありますが、ファンタスマゴリアとは18世紀の幻灯機を使った幽霊ショーのこと。幻灯機が後に映写機となることを思えば「映画」と「幽霊」ってそもそも相性がいいのだと勝手に納得の春でありました。死とは肉体と精神が分離する事。肉体的な死者との遭遇がゾンビ映画なら、精神的なのは幽霊映画、というわけで、『リング』や『呪怨』等怖い系だけでなくハートウォームな幽霊映画を今後も観ていきたいです。…って、もちろん白石晃士監督『貞子VS伽椰子』も猛烈に楽しみですよ。

5月　作ってきたからわかるんだ

フィギュアや模型の仕事をするようになって25年以上、思い返せばいろんな苦労がありました。「数週間かけて作ったフィギュア原型が納品直前で版元NGとなり2日ぐらいでイチから作り直した。」とか「撮影用の人形の仕事請けたら、監督が素材感にこだわって、木片から削り込んで作ることになった。」とか「某怪獣映画の造形物、撮影前日に盗難。」とか…。今回はそんな自分の造形屋人生の中でももっとも「大変だった！」と言えるお仕事のお話。

「♪マンションのことなら分かるんだぁ～」でおなじみ長谷工グループの最新CMをご覧になられたでしょうか。今までは実際に長谷工さんが建てられたマンションでロケをし、社員の皆さんが歌いながら行進する実写のあのCMとはうって変わって、ミニチュアセットでフィギュアがずらりと並び、コマ撮りの人形アニメーションとなったあのCM。登場するたくさんのフィギュアをやらせていただきました。…大変でした。

自分の昔からの憧れの仕事のひとつに「人形アニメ」がありました。なんせ特撮映画が好きでフィギュア等の作り物が好きの延長線上でそれを仕事にしてずっとやってきたんですから当然なんですが、自分が業界に入った頃から時代はデジタルへまっしぐらの世の中。なかなかお仕事として回ってくることは無く…だったんですが、ここに来ての映画TVの美術を手がける東京映像美術さんからのご依頼で喜んでお請けしました。撮影は約1ヵ月後、打ち合わせを重ねる中で「フィギュアのサイズはS.H.Figuartsやfigma等でおなじみの1／12スケール」「完全可動のフィギュアではなく、一部可動&パーツ差し替えで」「社員の皆様を3Dスキャン&出力したものをベースに使用」等と現実的な方向性が決まっていったのですが、なんせ登場人物が30人以上…すなわち、30体を超えるフィギュアを1ヵ月で作らないといけないわけで確実にひとりでは無理。ということで、仲間集めからスタートです。「フィギュア原型」と「撮影用の造形物」両方のスキルがある人で絞込み…ということで、名古屋のＪ－ＦＡＣＴＯＲＹさんが浮かびました。平成『電人ザボーガー』でデザイン・雛形モデルを担当したことで知られていますが、自分的には飯塚貴士監督の人形映画『補欠ヒーローＭＥＧＡ３』や『イバラキ警備隊』等で正に撮影用の1／12フィギュアをたくさん作られていた実績を見込み早速代表の田中淳さんに打診。チームを組んで一緒に戦ってくださることに！　型取り、複製、改造、塗装…。表情&ポーズ違いでそれぞれ複数製作（結局60体位）の作っても作っても終わらずの寝ず作業。デジタルチームとの連携もいろいろあって、撮影初日には全造形物が間に合わず、香盤表の撮順とにらめっこしながら作っては出しの超綱渡り進行。その大変さを見かねて、そもそもこの件を紹介してくださった平成以降のガメラ造形をずっと手がける凄腕造形家の高濱幹さんが加わり、さらには平成生まれの新進怪獣造形師、スタジオヘッドマスターの三木悠輔君も参戦で、思えばドリームチームの結成ですよ。アニメ演出にはＮＨＫのキャラクター「どーもくん」やコマ撮りするねこ「こまねこ」のアニメーションで知られるコマ撮りアニメーションの会社ドワーフの青松拓馬さんが、また数々のＣＭを手がけるアニメーターのオカダシゲルさんが、人形たちに命を吹き込んでくださいました。

　ということで長谷工グループ様のＴＶＣＭ「長寿命化もわかるんだ篇」と「建替えもわかるんだ篇」の2本。合わせてたった30秒の映像ですが、完成映像を見た自分たちはそれはもう涙涙だったのであります。

6月　模さない模型の話

　自分が大学でフィギュア製作を教えるようになって、この4月で4年目突入。今季からは短大部だけでなく自分の母校である大阪芸大でも講義だけでなく実習授業も受け持つことになり、水曜日は四大で実習と講義授業、木金は短大で実習授業と週の3日は関西滞在、すなわち毎週東京⇕大阪兵庫を行き来する毎日であります。今年も四大&短大ともにフィギュア製作を志す新一回生が多数入学してくれて、何人かは授業以外でも自分の作った作品やポートフォリオなんかを見せてくれたりする意欲のある学生もいてうれしい限りです。やはり学生達の興味の対象はアニメやゲームで、「○○のキャラクターのフィギュアが作りたい」なんて言ってくる学生も多数。そんな中、自分が学生達に常々言うことのひとつが「在学中に何かオリジナルなフィギュアを創作しなさい」ということ。既存のキャラクターフィギュアを否定する意図はもちろん無い…というか、キャラクターを立体化することから学ぶことはものすごく大事で、何より「好きなモノを作る」というのは模型に限らずモノ作りの根幹なのは重々承知なんですが、とにかく「フィギュア＝二次創作物」という世間様のイメージは根強くて、他の芸術系のコースに比べ、学生達の視野も狭くなりがちな印象。フィギュア発信でオリジナルのコンテンツを作れるぐらいの人材を輩出したい、そうしなければジャンルとしての未来は無いなんて、小さな使命感に燃える日々なのです。ということで現在創作フィギュアのコンテストも企画中。詳細は改めて。

　さて、その流れで今月は横山宏先生の話を。もちろんホビージャパン読者には説明不要。特撮ファンの方なら『VSビオランテ』のスーパーXⅡや92式メーサー車の…かもですが、やはり『マシーネンクリーガー』の横山先生。前身の『ＳＦ３Ｄオリジナル』連載開始が１９８２年と言いますから、なんと30年以上前！　82年とえば自分なんてまだ高校1年生、そんな頃から模型発信のオリジナルコンテンツを創られていたわけですから、まさにその先駆者。そんな先生がなんと還暦を迎えられたとのことで（なんと軽やかで若々しい還暦なんでしょう！）、現在、原宿のトーキョー カルチャートにてそれをお祝いする「横山宏トリビュート展60＋40＝100」が開催中。村上隆さんやヤノベケンジさん等美術界最前線の方々やミュータントタートルズの原作者のKevin Eastmanさん等海外からも多数参加の中、模型界からは、気鋭のトイメーカー3Aを率いるコミックアーティスト&デザイナーのAshley Woodさん、情景師アラーキーこと荒木智さん、造形作家の片桐仁さん他、岸川靖さん、鬼頭栄作さん、小林和史さん、竹谷隆之さん、寺田克也さん、ハマハヤオさん、MAX渡辺社長、宮脇修一社長…と大御所がずらり、自分もお声がけいただいて、横山先生ご本人をモデルに作らせていただいた拙いフィギュアで参戦なんですが、もうプレッシャーで吐き気が止まりませんでしたですよ。いやマジで。他にもミュージシャンや漫画家さんなど、横山先生の人徳で集結した皆様、（俺以外）本当にすごいです。自分もいつかこんなことが出来れば…なんて憧れますが、自分が60歳となる10年後そんな立場になってるかどうか、祝ってくれる人が居てるのか、そもそも生きているのか…と怖くなってきたので考えないようにしますよ。そして、さらには夏のワンフェスでも横山先生とマシーネンクリーガーをお祝いする催しがあるとのアナウンスがありました。ずっと色褪せない…どころか新鮮さを増していく日本初（世界初？）の模型発信のオリジナル企画、みんなで楽しく盛り上げましょう！

7月　伊丹発、女の子だけの原型師ユニット

6月26日、正にタイムスリップしてきました。舞浜アンフィシアター『NANNO 31st ANNIVERSARY～シンデレラ城への長い道のり～』。我が永遠のアイドル南野陽子様のデビュー30周年コンサート追加公演に行ってきました！　いやぁー良かったですわー!!?　冒頭、スクリーンに『スケバン刑事2』の映像が流れ「さよならのめまい」のイントロがかかり、幕がバンッて降りたら、そこにナンノが……あれっ!??　いないっ???……と、よく見たら中央の所にふたりのスーツ姿の男性が…あ！　暗闇司令と西脇さんだっ！　その西脇さんが鉄仮面を掲げるとナンノ様の歌声が！　どこだっ？　どこだっ？　どこだっ？　あそこだぁーっ!!?　と天井からリフトで真っ赤なドレスのナンノ様登場!!!!!!（↑完全に人造人間キカイダーの戦闘員気分ですよ！）　鉄仮面を受け取りそのまま「悲しみモニュメント」「風のマドリガル」とスケバン刑事主題歌メドレーに！　もうここまでで涙涙！　その後もラジオ番組「ナンノこれしき」を思い出さずにはいられない楽しすぎるMCと思い出の楽曲が続き、「KISSしてロンリネス」から「へんなの!!」でLIVEは最高潮！「♪吐息～で～ネット～！」と会場みんなでコールの時はナンノ様が思わず「うれしいー！」って叫んで、いやいやうれしいのはコッチですよって。ナンノ様、声が当時と全然変わらずで、しかもよくある変なアレンジなく当時のまま歌ってくださって、もう本当にタイムスリップ。客席は自分と同世代ばかりなんですが、アンコール前映像で18歳から現在までのナンノ様の写真が「フィルムの向こう側」をバックに一年ごとに流れ、最初は「ああ懐かしいなあ」くらいで見ていたのが、だんだんと「自分はあの年どうしてた」とか振り返るようになり、だんだん年が現代に近づいて来て、ここにいる皆さんも同じ時間を生きてきたんだなあと思い始めて涙腺崩壊、そのまま再びナンノ様登場でその「フィルムの向こう側」を。もう完璧な

構成！　あの頃本当にたくさんいたアイドルと呼ばれる人達。今もそのままの輝きを保たれてる方はごくわずかだと思うのですが、ファンのことをこんなに想って本域のコンサートをやってくださった。凄い！　感激！　ナンノ様とスタッフの皆様に大感謝です！

で、ここからが今回のコラムの本題ですよ（笑）。ナンノ様と言えば「ナンノこれしき」のノベルティ「ナンノへんてつ」の形が示す通り兵庫県伊丹市出身。そして自分が特任教授を務める大阪芸大短大部も伊丹市にあり、毎週そこに通う日々。もちろんフィギュアを教えているんですが、「ワンフェスで当日版権フィギュアが作りたい」の声が高まり、今自分がこの原稿を書いている時点でみんながんばってシリコーンゴムと格闘しています。短大なので女子が多いんですが、ここ数年の例えば『弱虫ペダル』や『刀剣乱舞-ON LINE-』等女性向けフィギュアが盛り上がりを見せるご時世でありますが、「作りたい！」と言ってきたのは女子ばかり。「だったらユニットを組め！」と暗闇司令ばりの俺指令を受け結成されたのが、まだ珍しい（もしや日本初？）女の子だけの原型師ユニット「甘エビ軍艦」なのです。新鮮さが命の「甘エビ」、みんなで乗り込んで戦う「軍艦」、フレッシュさと皆で戦うという意志を表すなかなか良い名前じゃないですか「甘エビ軍艦」！……ということで、今回その一期生となる9人がワンフェス参戦！　伊丹市発、シンデレラ城の向こう側の幕張メッセへ！　今後もディーラー名「寒河江弘」内ユニットとして展開していく予定です。まだ20前後の拙い彼女達ではありますが、フィギュア人生はここから時を刻んで行きます。皆様ぜひ応援してあげてください。あ、もちろん男子にも！

8月　世界は怪獣で満たされる

シカゴでのG-FESTも大いに盛り上がった。自分達が仕掛ける『ご当地怪獣』もとても好意的に受け入れられ、気に入ってくれた主催者のJDさんが粋なはからいでもっとも人が集まる催し「コスチュームパレード」前のお客さん入り中ずっと、バンド科楽特奏隊の『ご当地怪獣』PVやLIVE映像を流してくれてフィルムコンサート状態になり俺達大喜び。ちょうど科特隊はウルトラの楽曲のカヴァーアルバムもリリースしたばかりで良い掩護になった（はず）。いつかG-FESTで北米LIVEを実現させたい。そして『シン・ゴジラ』はこの原稿を書いている時点で2週連続一位、興収21億円突破の快進撃。TLは「ゴジラ、ゴジラ、ゴジラ！」と多胡部長怒りだしそうなほどゴジラだらけ、パンフやCD、フィギュアも売り切れ続出ですと。製作委員会でなく東宝映画の製作、『新世紀エヴァンゲリオン』の庵野秀明さんを総監督に迎えてというのはある種「賭け」だったと思いますが、従来の怪獣ファンだけでなくともてもいい形で幅広い世代に支持される作品になった模様。そして、「ポケモンGO」の大ブーム。TVのニュースではポケモン関連の事故や事件がまとめて報道され、JRでは「駅構内でのGPS機能付きゲームアプリの使用はご遠慮ください。」とアナウンスされてしまうほど。「ポケモン」と言えばオヤジ世代には説明不要ですが、1967年の『ウルトラセブン』のカプセル怪獣が元ネタ。小さな怪獣達が世界中のあらゆる場所にいるってすごいロマンを感じる。思えばエヴァもポケモンも特撮ではないにしろアニメまたはゲームで怪獣不在の時代に「怪獣文化」を継承していた立役者。『モンハン』や『進撃の巨人』『パシリム』等兆しはあったわけですが、今夏のこのムーブメントはもう怪獣ブームと呼んでしまっていいんじゃないでしょうか。第何次なのかは分からないけど。

『シン・ゴジラ』は初日に伊丹のシネコンで観た。30年くらい昔、伊丹グリーン劇場という映画館で頻繁に特撮オールナイト特集上映があってネットもＤＶＤも無かった時代、本当によく通いつめ、伊丹は自分にとっての特撮の聖地なのです。やがて、伊丹市が主催の伊丹映画祭となり、自分も自主映画で参加させていただくように。『VSメカゴジラ』の上映で川北紘一監督がいらっしゃって、映画の作り物をしたかった自分はアタック敢行。その後お声掛けいただいて『ヤマトタケル』へ。その少し前、『シン・ゴジラ』にも出演されてた塚本晋也監督の新作映画の準備を知り上京しストーカー的に事務所に押しかけ直談判。半ば強引に造形で潜り込むもその作品自体が頓挫。大阪へ戻る…その前に伊丹の自主映画で一緒だった岩崎友彦監督が先生を務める代々木アニメーション学院特撮科に挨拶に。そこでその日たまたま授業だった特撮の先生にアタック。「よかったら今度現場見学に」とのお言葉ゲット。社交辞令が通じないバカだったのですが、それをキッカケとしてその後東映特撮の現場に美術助手で呼んでいただくことに。その特撮の先生が『シン・ゴジラ』准監督／特技統括の尾上克郎監督なのでした。そして、阪神大震災もあったりして伊丹グリーン劇場は、その後閉鎖に…。そんな思いで伊丹で観たのですが、エンドロールラストの曲がなんと『VSメカゴジラ』！　伊丹でこの曲を聴くのは正に20数年前の川北監督と出会ったあの日以来！　堪らず一緒に観た知人とともに深夜にバス停2個分くらい向こうの伊丹グリーン劇場まで行ってみれば、半年くらい前はあったそのビルがすっかり取り壊されていました。ゴジラの新作を観たその日にそれを知る事実。仕組まれているとしか思えない。「伊丹グリーン劇場跡地」となったその場所に思いを馳せて。

9月　第一回新世代造形大賞！

大阪は天王寺にそびえ立つ日本一高いビルあべのハルカス。その24階にある大阪芸大スカイキャンパスにて9月3日・4日と2日間にわたって、創作フィギュアの公募展「新世代造形大賞」が開催されました。この春からずっと準備は進めていて、本誌8月号のこのコラムでもうっすら予告、この夏のワンダーフェスティバルのパンフでも告知ページがあったりと地味ーに宣伝はしていたのですが、レギュレーション等が確定しSNS等で話題になり始めたのは8月になってから。そんなバタバタ綱渡りで開催日を迎えたわけですが、フタを開けてみれば100点を超える応募作品とたくさんのお客様で本当に大成功となりました。ということで今回はそのレポートを。

発端は、大阪芸大に限らず最近ではいろんな芸術系大学で「フィギュア造形」を教えるところが増えてきたわけですが、「絵画や工芸・音楽・映画・ダンス…とさまざまなジャンルの芸術にコンテストや公募展があるのにフィギュアのそれってあんまり無い」ってところから、「じゃあ俺達がやればいいい」と企画したのが始まりで、「既存のキャラクターに頼らないオリジナル作品であること」と若い造形作家の登竜門となってほしいという意図から「応募資格は30歳以下。」あとは展示の物理的な理由からサイズの規定などは設けましたが、「大阪芸大×海洋堂」を看板に掲げているにもかかわらず、他校学生であろうが、他社の社員であろうが、プロであろうが子供であろうがWelcome！な公募展に。審査員は大阪芸大のフィギュアアーツコース教授で海洋堂社長の宮脇修一さん、同じく芸大講師で8月に作品集を発表されたばかりの大山竜さん、同芸大兼担教授で短大部特任教授の自分、そして特別審査員に『シン・ゴジラ』で大注目の説明不要の造形王・竹谷隆之さん、さらには飛び入り特別審査員に海洋堂を代表する造形師であるBOMEさんが集結。応募作品は、可愛らしいマスコットから本格的なヴィネット、また女の子から動物・クリーチャー、球体関節人形があればガラスで製作した作品まで、サイズもジャンルもモチーフも技法も本当にバラバラでバラエティに富んでいて、観るだけでもとても楽しい展示となりました。特筆すべきは応募者の半分以上が女性だということ。女子が多いウチの短大の学生が多数応募したことも起因していますが、年齢を30歳以下に絞ったことも大きな要因だと思います。昨今ワンフェスなどでも女性のお客さんがかなり増えましたが、作り手側の方にも女性が増えたというのは「未来は明るい」と光が見えた感じがします。フィギュアの定番美少女モチーフは相変わらずですが、かわいい男の子フィギュアがチラホラなのも納得です。まだ数は少なかったのですがデジタル造形で出力した作品もあり、今後はデジタルならではの作品も出てくることでありましょう。ということで、審査は当然のように難航し、大賞以外に当初の予定をオーバーして各審査員を3名ずつ、さらには入選を8名と計24名に。大賞は小さな猫のフィギュアをたくさんあしらったディオラマ作品「猫の踊り場」に決まりました。なんと作者はまだ10代の女性、今後が楽しみです。コンペ以外にも竹谷さんのトークイベントには立ち見が出るほどギッシリのお客さんが集まりイベント後はサイン攻めに、ちなんで展示されたアノ雛形も大人気でした。また短大部からは「フィギュアの教科書 レジンキット&塗装入門編」を出版された藤田茂敏先生、ペーパークラフト作家の高橋睦先生も駆けつけ、進路や技術などの相談コーナーも設けました。と、大成功に終わった第一回、継続して今後も続けたいと心に誓う夏の終わりなのでありました。

10月　フィギュアをTV番組で観せる

もしフィギュアや模型を工芸的あるいは芸術的作品だとするなら「触れる」というのが他ジャンルのアートにはない大きな特徴だと思うのです。絵画や音楽、映画や演劇は触れないし、もしくは触ったところで鑑賞とは言えないので。とは言え、例えばホビージャパン用に作ったディオラマなんかは触るどころか中々実物を見ていただく機会が無いので、作例なんかをやらせていただく時は誌面に載った時にいかにカッコよく写るかをできるだけ気を使って作り、撮影時立会いもしてさらには悪あがきをして、編集部さんカメラマンさんにご迷惑をおかけしております。さて、そんな自分でありますが稀に面白がってもらってTV番組でフィギュア作品を披露する機会があったりします。ということで、今回は「TV番組でフィギュアを観せること」の話。

「画像」と「動画」。フィギュアを見せるという意味では同じでも単純に違うのは動画は回りこめるということ。もちろん極力隙の無いように作ってはいますが視点の限定された誌面などの画像用に作ったものよりいろんな角度から見て破綻無く…というか見せ場を多くというのは気を使うところ。とはいえ、フィギュア自体が動いたりしゃべったりするわけではないので長時間間を持たせるのは至難の技だと思うのです。「フィギュアはエンターテインメント。」そう信じる自分であるので、これは大きな課題です。もう終わってしまったので若い方はご存じないかもですが、『TVチャンピオン』という番組がありました。さまざまなジャンルから毎週何かの専門家が集まりその技や知識を競ってチャンピオンを決めるという番組で、90分枠でゴールデンタイムに放送され、さかなクンさんや「大食い」や「ラーメン通」の大会では有名タレントを排出する等とても人気でした。なかでも年一回ペースでやっていた「プロモデラー選手権」は山田卓司さんや金子辰也さん等プロモデラーの方がたくさん出演され

普段見られない技を映像で見られる希少な番組でした。当初はゲームやクイズをしながら戦うというラウンドもあり「模型をバラエティ番組で観せる」という番組製作側の苦労が感じられましたが、回を重ねるごとにその技を見せること…すなわち製作過程こそが面白いという感じに特化されていき、この作品がどうやって完成されていくのか、またそれぞれの出場者がどんな技で戦うのか…と本当に面白かった。ただ、自分もプロモデラー、フィギュア王等計3回出させていただいたのですが、出る側は本当に大変。ディオラマなど「作品を○○時間で作りなさい」等ありえないお題にとても苦労した思い出です。先日もとある番組からフィギュア製作&出演の依頼がありました。番組MCの男性アイドルタレントの方をモチーフに多分野の著名なクリエイターたちがそれぞれ作品を競作するという企画。で、自分はフィギュア代表。「製作過程を観せる」ことも封印で作品のみの勝負。出演が決まってから本番までたった10日間で唸らせるほどのクオリティのフィギュアは作れないと判断し、「情報量」と「とにかく楽しませる」作戦にシフト。サブMCのタレントさんを怪獣に見立て、それに挑むヒーローとしてフィギュアを製作し、鉄道模型の建物ストラクチャーを並べてディオラマ作品に。さらには台本を書いて番組スタッフの方に映像を作っていただき、収録の本番でアテレコをする…という作戦。もはやフィギュア作家としての仕事はまったく関係無くなっているんですが(汗)、とにかく現場も盛り上がり、またオンエアの反応も良かったので本当にほっとしました。ということで、「フィギュアをもっとエンタメに。」を自分の座右の銘にしようと思います。

11月 文学って何

米国のミュージシャン、ボブ・ディランがノーベル文学賞を受賞したというニュース。メッセージソングを歌い続け、日本では吉田拓郎をはじめとする70年代フォークロックブームのきっかけとなったボブ・ディラン。受賞の理由は「アメリカの伝統音楽にのせて新しい詩の表現を創造した」とのこと。「どの曲が受賞?」と思ったのですが、物理学賞や化学賞が○○の発明や○○発見等一点の功績を称えるのに対し文学賞はその個人の創作全体に対しての評価なんですね。「ミュージシャンが文学賞?」といえばやはりちょっと疑問ですし、実際文壇からはその選考結果に批判の声も上がっているとのことですが、「詩」が文学である以上「歌詞」もまた文学。表現にメロディーがついているというだけで否定する要素は何も無いわけで、実際に過去には小説家だけでなく詩人や劇作家、哲学者、昨年はジャーナリストまでもが受賞しているとのこと。文学の定義を「文字の芸術」とするとその範囲はものすごく広がるわけで、例えば劇作家がアリなら映画の脚本もアリ。ウディ・アレンやクエンティン・タランティーノのような脚本も兼任するような映画監督も当然対象となるわけで、日本なら北野武や宮崎駿、塚本晋也もアリ。当然、物語を描く漫画家もアリ。「存命中の」となれば、手塚先生、石ノ森先生、水木先生等対象外になってしまうのは残念ですが、永井豪、鳥山明、松本零士、浦沢直樹、岸本斉史…と世界的に有名な先生方多数！　そして、ストーリーはRPGなどゲームにもある。もしゲーム作家が受賞してしまった日には文壇の方々はどんな怒り方するんでありましょう。他にも、評論家、エッセイスト、コピーライター、放送作家、落語家のような語る系のコメディアン等々、文学のジャンルはもう無限に拡がる大宇宙なのです。毎年、村上春樹さんは!?と話題にする日本のマスコミでありますが、「文学的価値」って一体なんだろうと思うのです。例えば小説だったら「ストーリー

が面白い」ってこれは個人の捉え方や育ってきた環境によって全然違うのは承知ですが絶対的な価値だと思います。しかしながら詩的な表現だったりその語り口も「文学的価値」であるのなら、例えば日本語の小説が英語に翻訳された時点でそれはもう違うものになると思うんですがどうでしょう。と、同じことを先日漫画家の桜水樹先生と話していて、夏目漱石の『吾輩は猫である』が英字翻訳で『I am a Cat』になった段階で「もう違うやん！」と（笑）。

昔ヴィクトル・ユーゴーが『レ・ミゼラブル』出版時に売れ行きを「?」と「!」だけで手紙のやり取りしたエピソードがありますが、近年はＰＣやケータイでのメールや書き込みが普及してからは絵文字やフォントの組み合わせで作る顔文字なんかが登場したりして、これはもう文字なのかどうかどうかも判断がつかないんですが、海外の知り合いと英文でメールやり取りなんかしている時に、数年前と違って今では「ＥＭＯＪＩ」として共通言語だったりして、向こうから積極的に使ってくれるので、感情を伝え合うのが随分スムーズになりました。このままドンドン進化していけば、もう未来には「文字」と「絵（ピクトグラム）」の境目がなくなるんじゃないか…なんて。

さて、ジャーナリスト、ミュージシャンと来たノーベル文学賞、来年はどのジャンルの方が受賞するのかちょっと楽しみです。そしてＴＶマスコミの方はその時に「受賞を心待ちにするハルキストの皆さん」を取材するのはもう止めてあげてもらえませんか。

12月 50歳

びっくりしますよ。この12月で50歳になってしまいましたよ。ベタな話題で申し訳ないのですが、例えばランバ・ラルが35歳、キリヤマ隊長が38歳だったりするわけで、子供の頃思っていた50歳はもっともっと大人というか初老。今の俺みたいなこんなんじゃなかったのですよ。いやこれでもですよ、結婚できて、ローンは続くも住む所があって、フィギュアだ怪獣だの仕事の前に世間的な肩書きは大学教授、立派な大人なはずなんですが、フリーターと何ら差異無い不安定なプラプラフワフワのギリギリの日常。それが許されている（？）状況のありがたみを感じつつも「大人なんだからもう少しちゃんとしないと」と反省の日々です。ところで、今年50歳といえば1966年生まれ。そんな自分と同い年の有名人を自分の好きな特撮周辺にて挙げていくなら…。（敬称略スミマセン）ゴジラだと我らが黒木特佐『VSビオランテ』の髙嶋政伸、「みなさーん避難してくださーい」の斉藤由貴、あと宮川一朗太『VSメカゴジラ』、吉川十和子『VSスペースゴジラ』。ガメラは新生ガメラの石井克人監督、『ガメラ2』主題歌トータス松本。ウルトラだと小野寺丈（ナカジマ隊員）、田中実（サコミズ隊長）、宍戸開（ヒジカタ隊長）、木村圭作（松原警部）、『サーガ』おかひでき監督。特撮じゃないけど「特撮」の大槻ケンヂと山口敏太郎の『緊急検証』の二人はなんと同い年。他ヒーロー系は中村容子（イエローフラッシュ）、中村あずさ『女バトルコップ』、『電脳警察サイバーコップ』から吉田友紀（ジュピター）&塩谷庄吾（マーズ）、『キカイダーREBOOT』下山天監督。海外だと「このF●CK野郎のようにね」のジュリー・ドレフュス、ロレッタ・リー『孔雀王アシュラ伝説』、タムリン・トミタ『バビロン5』、ヘレナ・ボナム・カーター『アリス・イン・ワンダーランド』、アダム・サンドラー『ピクセル』、ソフィー＝マルソー『ラ・ブーム』、ヴァンサン・カッセル『ドーベルマン』…と、以上の方々みんな1966年生まれの今年50歳。今でもバリバリお仕事をされている方やもう引退されたり亡くなられた方もいらっしゃり、この年代のことを改めて考えさせられました。

　その１９６６年に『ウルトラＱ』『ウルトラマン』『マグマ大使』が放送開始。もちろんそれ以前にも『怪獣マリンコング』など特撮ドラマはあったわけですが、この年が日本におけるＴＶ特撮元年と言ってもいいでしょう。特にウルトラシリーズは半世紀経った今なお新作が作られているわけで歴史の厚みを感じます。自分は子供の頃『マン』『セブン』はずっと本放送で観ていたと思い込んでいたのですが、０歳…しかも生まれた週の放送が第23話「故郷は地球」だったわけで、当然「タケダ、タケダ、タケダ～」の提供クレジットも知らずで、あの頃如何に何度も再放送されていたのかが想像されます。ウルトラと言えばこの12月は亡くなられてから10年の節目ということで、東京・池袋の新文芸坐や京都文化博物館フィルムシアターにて実相寺昭雄監督の特集上映が行われました。もちろんウルトラシリーズなどＴＶ特撮ドラマの実相寺作品はすべて衝撃的なのですが、自分にとって実相寺監督作品と意識してリアルタイムで観た最初の作品は１９８８年『帝都物語』でした。今ではデジタルで画作りしてしまうようなシーンも30年前はＣＧ未発達なわけですが、そこは当時バブルの日本、巨大なオープンセットを建て込んだり、式神など何十体も出てくるクリーチャーはマペットやモデルアニメーション等で動かす造形物が作られ、当時大学生で造形や特撮の仕事に就きたかった自分にとって夢のような超大作映画なのでした。その『帝都物語』、なんと実相寺監督が50歳の時の作品とのこと。己の小ささを痛感なのであります。

大山竜（フィギュア原型師）

海洋堂宮脇氏（写真左）との会食にて

　僕が初めて寒河江さんの存在を知ったのは、ホビージャパンの製作記事なのか、フィギュアの原型製作の表記なのか、特撮映画のスタッフとしてだったのか、TVチャンピオンに出演した時だったのか、今となっては思い出せません。それはもう随分と昔のことだから思い出せない、というよりも僕のフィギュア原型師人生の中でいつの間にか居て当たり前の存在になっていたからだと思います。フィギュアの世界を知った中学生の時から製作記事を読んで真似したり、いつか自分も同じ雑誌で記事を書きたいと思うようなことが日常になり、会ったこともないのに昔から知っている人のような親近感を覚えるようになりました。
　そんな状態から約20年以上後に大阪芸大のフィギュアアーツコースで講師として同じ場所で仕事をすることになります。それ以前からイベント等で何度かお会いすることもありましたが、ちゃんとお話することが多くなったのはこの頃からです。実際に会ってお話した印象は僕が中学生時代に読んだ記事やテレビの印象そのままで、やはり、昔から知っている人だと勝手に強く感じました。大学の授業中に学生の好きなアニメのCDをかけて作業したり、リクエストされたキャラクターを造形したりと、みんなが楽しく作業が出来るようなことを常に考える人でした。フィギュアや映画のお仕事で誰よりも生みの苦しみを知っている人だからこそ出来ることだと思います。それからは寒河江さんが主催するロフトプラスワンでのイベントに呼んでいただけたり、上海ワンフェスにも一緒にゲスト出演したりとご一緒することが多くなり、それがすごくうれしかったです。どのイベントでも基本的には「何か造形しながら喋る」というスタンスが昔から何ひとつ変わっていないことと、そこに自分も参加できていることが本当にうれしかった。あと、寒河江さんといえば怪獣、『ご当地怪獣』等のオリジナル怪獣造形がとても好きです！　もっと見たかった。

サガエディズ
君よ粘土の河を渉れ！

2017年

1月　また50の話題

先月このコラムで実相寺昭雄監督が50歳の時に『帝都物語』を撮られたことを書いて、そういえば自分より一コ上の樋口真嗣監督は50歳で『シン・ゴジラ』撮ったんだなあと思い、ふと「他の監督はどうなんだろう?」と調べてみたら、ちょっと面白かったので発表したいと思います。特撮でいえば矢島信男監督の代表作『宇宙からのメッセージ』が公開されたのが監督が50歳になる1978年。その深作欣二監督は角川映画最大規模のSF超大作『復活の日』を。川北紘一監督はご自身最大のヒット作「ゴジラVSモスラ」を。本多猪四郎監督は49～50のタイミングで『モスラ』『妖星ゴラス』そしてゴジラシリーズ観客動員数不動の一位『キングコング対ゴジラ』を。中野昭慶監督はなんと北朝鮮製作の怪獣映画『プルガサリ』、佐川和夫監督は香港との合作『孔雀王 アシュラ伝説』、大木淳吉監督は『ウルトラQ ザ・ムービー 星の伝説』、山崎貴監督は『寄生獣』を。他にも自分の好きな監督を例に挙げていけば…塚本晋也監督は鉄男シリーズ集大成の『鉄男 THE BULLET MAN』、北野武監督はベネチア映画祭金獅子賞『HANA-BI』、金子修介監督は『デスノート』、是枝監督は『そして父になる』とそれぞれ大ヒット作を、石井輝男監督は千葉ちゃんの空手映画最高傑作『直撃! 地獄拳』、岡本喜八監督は『吶喊』、三隅研次監督は『子連れ狼 子を貸し腕貸しつかまつる』、大島渚監督は『戦場のメリークリスマス』、中島哲也監督は『告白』、三池崇史監督は『十三人の刺客』を…とそれぞれの監督の代表作と言える作品を正に49～50歳のタイミングで撮られている。すべて熱量の高いすごい映画…そして、自分の大好きな映画ばかり!「五十にして天命を知る」と言うが、こうしてリストアップしてみれば正にそう思わざるを得ない。自分の天命って何だろう? と思った時にフッと沸いた言葉が昨年秋頃の「フィギュアをもっとエンタメに」のキーワード。誰かを例に挙げるまでもなく、フィギュア製作において自分なんかより造形や技術的にすごい人はいっぱいいらっしゃるのは、ホビージャパン読者の皆さんには説明不要ですが、それでもこうして各方面から自分がフィギュアのお仕事いただけるのはやっぱり「楽しませる」に重きを置いて仕事してるからなんだろうと、もう完全に思い込んでこれからも邁進していく所存なんです。ということで2017年からもう正月返上でいろいろやっていますのでその報告を。まずは、ついに発表になりした、「ゆうばり国際ファンタスティック映画祭2017」のポスター等に使用されるキービジュアルを人形映像作家の飯塚貴士監督とともに担当させていただきました！　飯塚監督がアヴァン映像でクリエイトしたキャラクター（劇中プロップも自分製作）をポスター用にブローアップ。映画祭ゆかりの監督さんたちやキャラクターも隠しキャラ的に織り込んでみました。第1回の寺沢武一先生から昨年の田島光二さんまで日本のクリエイターが手掛けられ、自分にオファーいただいた時は本当に光栄でした。北海道では駅などにたくさん貼られていたりするそうなので、そちら方面お住いの皆さまはお楽しみに！

それと、年末年始の3週間弱、リアルに寝ずの不眠不休で挑んだTV番組が放送されます。2月5日、日曜の夜9時54分から放送のTV東京系『イチゲンさん』という番組で毎回異なるクリエイターが番組からのオファーに挑むという正に「一人TVチャンピオン」な内容。老体にムチでムチャクチャ頑張りましたのでぜひ見てください！　ということで、50になっての一年はまさに映画祭とTVというエンタメで幕を開けるのでありました。それと…最後に…『トラック野郎』の鈴木則文監督は50歳で『パンツの穴』を。

2月 パードレ、沈黙できません

ゆうばり映画祭のポスタービジュアル、『狂い咲きサンダーロード』完全復活プロジェクトフィギュア10体、TV番組『イチゲンさん』の出演とその作品製作…と重い仕事が昨年末からずっと続いて、今なおワンフェス準備、学校のいろいろ、久々の商品原型仕事、そして某巨大ディオラマといろいろ格闘中。おそらくこんなペースで仕事するのはそろそろ限界な気がするのですが、ご依頼いただくのはありがたいことですので頑張ります…。と、そんな中、映画『沈黙 - サイレンス -』を観ましたよ、パードレ。遠藤周作の小説『沈黙』を巨匠マーティン・スコセッシ監督が映画化した歴史ドラマ。キリシタン弾圧が激しい江戸初期の日本に来たキリスト教宣教師の衝撃の体験…。宗教や倫理観等とてもセンシティブなテーマを目を覆いたくなるような拷問の描写などを織り込み描かれるとても道徳的でシリアスなドラマ。…なんですが、いやさすがスコセッシ、エンターテイメントとして非常に面白い映画でした。ポルトガルの若い宣教師が棄教したといわれる師匠を救出するため未知の国日本に潜入するんですが、そのふたりを演じるのが『アメイジング・スパイダーマン』のアンドリュー・ガーフィールドとカイロ・レンのアダム・ドライヴァー。そして、師匠がクワイ=ガン・ジンのリーアム・ニーソン…と言えば、違う意味の妄想ドラマがムクムクと…→ダークサイドに落ちてダークマンと化したクワイ=ガン・ジン！ 彼を救うためにタッグを組んで敵地に潜入するスパイダーマンとカイロ・レン！ 誘う魔界転生の天草四郎（窪塚洋介）！ 援軍となる鉄男（塚本晋也）、『SPEC』の瀬文焚流（加瀬亮）！ 続々と登場する阻む敵は『寄生獣』の後藤（浅野忠信）！『企業戦士YAMAZAKI』（イッセー尾形）！仮面ライダーZX（菅田俊）！『ゼイラム2』のフジクロ（SABU）！プロレスラー高山善廣（高山善廣）！ね、俄然面白く感じてきたでしょう。この映画、自分の長年の仲間である俳優の北岡龍貴さんも出演しているのです。『ウルトラマンティガ』の敵怪獣や平成ウルトラセブンのスーツアクターを経て、今では俳優としてアクションと語学力を武器に国際的に活躍する北岡さん。今回劇中ではアダム・ドライヴァーと共演で重要なシーンを演じられていて、短い出番でしたがカッコ良かったです。今年の北米最大の怪獣映画の祭典「G-FEST」のゲストに樋口真嗣さんや大島ミチルさんとともに選ばれたとのこと。オメデトウゴザイマス。北岡さんと言えば原口智生監督の怪獣映画『デスカッパ』で庵野秀明さん演じる国家親衛隊隊長の部下を演じられていましたが、この映画、原口監督の『ミカドロイド』から主演の洞口依子さん、『さくや妖怪伝』で傀儡師を演じられた塚本晋也監督、と歴代原口組俳優共演…って、そんな切り口で観る人は誰も居ませんよね。スミマセン。塚本監督映画の切り口で語れば、中盤登場の浅野忠信さんは『ヴィタール』主演、後半登場の黒沢あすかさんは『六月の蛇』主演とちょうど映画の中の時間の流れで塚本監督からバトンを繋いでゆくように登場されたのが感慨深かったです。塚本監督は昔からスコセッシ監督の大ファン、そしてスコセッシ監督も『鉄男』『六月の蛇』が大好きな映画とのこと。自分は両監督のファンなのでなんだかうれしくなります。ここで「そういえば」と今更ながらに気付いたことなんですが、都市で孤独を感じる男が銃を手に入れて暴走していく『バレットバレエ』や『鉄男Ⅱ BODY HAMMER』で「やつ」が決戦前にモヒカンになるシチュエーションとか、スコセッシ監督の名作『タクシードライバー』からの影響色濃し…と、語りだすといろいろ止まらない。重い内容で淡々と描かれる映画なんですが2時間40分まったく飽きさせない一級の娯楽映画でありました。ということで、パードレ、仕事に戻ります。

3月 「モンスターバース」ですって！

うぉー！『シン・ゴジラ』日本アカデミー賞7冠！　おめでとうございます！　怪獣映画が作品賞や監督賞獲るなんてこの国もまだまだ捨てたもんじゃないと実感です。今月はBlu-rayリリースで再びの盛り上がり！　ホビージャパンからも決定版MOOK「シン・ゴジラ GENERATION」や自分も無人在来線爆弾ディオラマで参加の「シン・ゴジラ 造形作品集」等が発売！　皆様よろしくお願いします！　…ということで、シンゴジ特需で怪獣復権の兆しのなか、試写で『キングコング：髑髏島の巨神』を観せていただきましたですよ！　どこを切っても怪獣怪獣の「怪獣金太郎飴」映画！　あえてもう一回言います「怪獣映画」なんですよコレが。一昔前は映画宣伝で「怪獣」と「ゾンビ」はなんだか禁句になってて、例えば『バイオハザード』や『ワールド・ウォーZ』なんか映画宣伝的には「ゾンビ」はNGワード。ところが、ドラマ『ウォーキング・デッド』が当たったあたりから緩やかに解禁に。「怪獣」も同様で、例えば『小さき勇者たちガメラ』なんか「ファンタジー映画なんですよ」的な宣伝だったし、『クローバーフィールド』、『SUPER8』然り。そして、黒船『パシフィック・リム』が劇中で怪獣をKAIJUと呼んだ辺りからやっぱりフワッと。今回のコングはチラシ裏のコピーに「この島、怪獣だらけ！」とあり、やっと市民権を得た気分であります。時は1973年、永久暴風雨に千年閉ざされた謎の島「髑髏島」に調査に乗り込む謎の政府組織モナーク&米軍ヘリコプター部隊…というストーリー。そこからはもう怪獣ノンストップ。恋愛ドラマはもちろん、会議のシーンもありません。ちなみに設定の1973年と言えば俺6歳。親にせがんで連れて行ってもらっていた東宝チャンピオンまつりで一番怪獣映画に馴染んでいた頃。自分が最初に見たキングコング映画はそのリバイバルの短縮版『キングコングの逆襲』だと思うのですが、調べたら1973年でなんか

個人的にうれしかったり。そして「モナーク」ですよ。覚えている方が何人いらっしゃるかわかりませんがギャレス・エドワーズ監督版『Godzilla』で「ムートー」を捕獲して研究していたアノ秘密組織。そうこの二本の映画は世界観がつながっているのです。「モンスターバース（MonsterVerse）」と名づけられ、マーベルヒーローが作品の枠を超えて共演する『アベンジャーズ』のマーベル・シネマティック・ユニバース（ＭＣＵ）同様、コングとゴジラの世界観をクロスオーバーさせるとのこと。前にこの連載でも書きましたが会社を超えたキャラクタークロスオーバー映画の元祖は１９６２年の東宝映画『キングコング対ゴジラ』（と思う）なので正にピッタリの企画。モスラ、ラドン、キングギドラも出るらしい２０１９年『Godzilla:King of Monsters』そして２０２０年『Godzilla vs Kong』と発表されてるこの2本だけでも鼻血ブーです。身長30ｍと以前の映画よりは巨大化したものの、１００ｍ越えのゴジラには体格差でかなり分が悪いコング。そこで気になったのが原題。「King Kong」でなく「Kong」なんです。これってゴジラに例えるなら「Godzilla」じゃなくて「Zilla」ってこと。自衛隊の「１００万ボルト作戦」で帯電体質になって手から電撃を発するようになった東宝コング同様、次回作ではもっと巨大化&強力になっていただきたいものです。レジェンダリーと言えば『パシフィック・リム』シリーズもあり、いずれは「ジプシー・デンジャーVSゴジラ」にジェットジャガーやメカゴジラも…と妄想キリがない！　もちろん日本でも4月1日に調布で田口清隆監督主催「全国自主怪獣映画選手権／東京総合大会」があり、若いクリエイターが創ったシン怪獣が続々集結！　怪獣、まだまだ熱いです！

4月

強力わかもと！

最高に面白かった！ハリウッド実写の『ゴースト・イン・ザ・シェル』‼ 自分は公開前のワールドプレミア時の試写でネオンきらめく夜の新宿歌舞伎町のTOHOシネマズで観せてもらったんですが、いやもうそのロケーションも相まって雰囲気満点でした。とかく世間様はマンガやアニメ、ゲームの実写版に厳しい。特に「日本のがハリウッドで」となると、『トランスフォーマー』シリーズ等の大成功例もあるものの、浮かぶのは、『ドラゴンボール』、『マッハGoGoGo！』、『スーパーマリオ』…と敗戦の歴史。2次元から3次元でも解釈が変わる上、さらには海外に通じるよう翻訳。元とは似ても似つかぬになるのは当然のことで、そこで「違う！」と一蹴してしまうともうそこで終了…な・ん・で・す・が！今回の実写攻殻は、それらを逆手に取った構成！お見事でした！だって、スカーレット・ヨハンソンが草薙素子⁉ 白人ですやん！ってなりますよ、普通。実際、国内外の攻殻ファンのみならず人権団体からも「ホワイトウォッシュ（非白人のキャラクターを白人の俳優が演じること）だ」と抗議の声が上がり、ネットでは10万人以上の反対署名が集まったりだったそうですが、ネタバレになるので詳細伏せますが、観ればそれらを全部踏まえた上でのポンとヒザうつキャスティング、痛烈なアイロニー。もう自分は草薙素子はスカヨハちゃんしか考えられない。スカヨハ、サイコー！ですよ。キャスティングの話で言えば、世界の'Takeshi'Beat'Kitano'ですよ。フランスなどヨーロッパではメジャーなたけしさんの北米での知名度は分からないのですが、カメオでちょっとだけなんかじゃなく重要な役どころでガッツリ出演。しかも終始日本語。同じサイバーパンク映画、22年前のウィリアム・ギブスン『JM』の時はヤクザ役だったので黒スーツで銃と日本刀…だったのですが、今回は現場でなく部屋から部隊を指揮するのでほとんど座って芝居の役どころ、その抑えた芝居が続いたあと、遂に銃を持った瞬間にアウトレイジなたけし爆発！シビれました！

さて、今年は『ブレードランナー２０４９』の公開も控えていて、ちょっとサイバーパンク復権の兆し。小説『ニューロマンサー』の世界観にワクワクし、ウォークマンでＹＭＯを聴き、ＶＨＳで『ブレードランナー』を巻き戻しては再生していた80年代。その頃の近未来ＳＦ作品に描かれていたその時代が正に今な訳ですが、電脳の街の秋葉原や日本橋が「アニメ」にジャックされてからなんだか未来が変わった。ネオン看板と番傘とアスファルトから噴き出すスチームはどこに。サイバーパンクの世界観ですらすでにレトロフューチャーの域になってしまってオッサン世代はちょっと寂しい。あとサイバーパンク映画の魅力の一つは日本をはじめとする漢字文化の混沌。『パシフィック・リム』の「萌＆健太ビデオ」にちょっとうれしくなったものですが、コルフ月品、強力わかもと、充実の上に、ちの鳥口…と『ブレードランナー』の看板たちに萌えたものですが、『ゴースト・イン・ザ・シェル』もその辺りふんだんに美術に盛り込まれていて可愛かった。『２０４９』はちゃんとこの辺り踏襲していただきたい、俺のために。数年前から『ニューロマンサー』や『ＡＫＩＲＡ』の映画化の話が出ては消える状況ですが、「この機を逃すな！全企画投入！」ですよ、ハリウッドの皆さん！　話は変わって、「シン・ゴジラ造形作品集」の発売記念ディオラマ展示会＆トークセッションにお越しくださった皆様、どうもありがとうございました！事前告知が行き届いてなかったかもですが、またこういう機会があればぜひにと自分も願います！

5月　歌う映画館

観た、アニメ『夜は短し歩けよ乙女』。なんとかわいらしい映画なんでしょう。俺の大好きな映画『マインドゲーム』の湯浅政明監督に、脚本が俺の大好きな劇団「ヨーロッパ企画」の上田誠さん。さらに音楽が『ゴジラ×メガギラス　G消滅作戦』『ゴジラ×メカゴジラ』『ゴジラ×モスラ×メカゴジラ　東京ＳＯＳ』のミレニアムシリーズの「X三部作」の大島ミチルさん（ちなみに大島さんは今夏の米国怪獣コンベンションG-Ｆｅｓｔでスカイスクレーパーアワード受賞とのこと）…と、鉄壁俺好き布陣。夜の京都を舞台に、古書、学園祭、学生演劇…と、もうたまらない要素がギッシリ満載で大好きな映画がまた一本増えました。アジカンのテーマ曲を含め音楽が重要なポイントとなっている作品なんですが、ここ最近のヒット映画と言えば、『ラ・ラ・ランド』から始まって、アニメの『ＳＩＮＧ／シング』『モアナと伝説の海』、そして『美女と野獣』となんだか映画館は歌ってばっかり！　ということで今回はミュージカル映画の話。１９８９年の『リトル・マーメイド』以降ディズニーが作る長編アニメはほとんどがミュージカル作品でそしてほとんどが大ヒットしているので「何を今さら」な感も否めないですが、２年前の『アナ雪』のメガヒットからお客さんが好んでミュージカルを選ぶようになったと思うんです。とはいえ、それはやっぱりハリウッド映画ばかりで邦画ほぼ皆無。最近ので思い浮かぶのは園子温監督の『TOKYO TRIBE』『ラブ&ピース』、三池崇史監督の『愛と誠』等ちょっと変化球な作品、後は『ソラニン』や『リンダリンダリンダ』『デトロイト・メタル・シティ』等、バンドが主人公のものくらいでいわゆる自分らがイメージするミュージカル作品はほぼ見当たらない。そりゃそうですよ日本人が日本のロケーションで歌って踊ってもギャグにしかならない…って、それを逆手に取ったのが三池監督の『愛と誠』なんですよね。いやコレもかわいい作品でした。

一方で映画から舞台に目を移せばミュージカル『テニスの王子様』からはじまる2.5次元ミュージカルはいまだ大人気で、『弱虫ペダル』『刀剣乱舞』等、実写映画化となったら絶対炎上案件なのに、舞台となったらファンに受け入れられるのはなぜだろう…とこの辺りがアニメ実写化の鍵なんでありましょう。さかのぼれば『ベルサイユのばら』という「マンガ×音楽劇」という土壌があるからなんでしょうか。ところで発表になった舞台『ハイスクール奇面組』のキャストのビジュアルの再現度は笑うほどすごすぎですよね。音楽劇なのかどうか分かりませんが。

自分の好きなミュージカル映画は、なんと言ってもジョン・ランディス監督『ブルースブラザーズ』とブライアン・デ・パルマ監督『ファントム・オブ・パラダイス』の2本。特に『ファントム〜』は自分の中の魂の映画で、初めて観た学生の頃からずっと色褪せない作品です。以前このコラムでも書いた手塚眞監督『星くず兄弟の伝説』はこの『ファントム〜』の主人公ウィンスロー・リーチに捧げられたオマージュ作品でもちろん自分も当時映画のファンクラブに入っていたほど好きなんですが、その続編『星くず兄弟の新たな伝説』が30年の時を経て制作されたらしい！　シン・スターダストブラザーズに三浦涼介、武田航平。さらにはケラリーノ・サンドロヴィッチが脚本で参加ですって！　観たい。観たすぎる！　2018年公開ですって。鬼が笑いまくりますね。と、締め切りギリギリで原稿を書いていたところで、坂野義光監督の訃報が…。『ゴジラ対ヘドラ』も音楽映画ですよね！　♪かーえせ！　かーえせ!!　合掌です（涙）。

6月　ユメノ超トッキュウ

春からまた新学期が始まって大阪芸大&短大部でフィギュア製作を教えている自分は毎週往復…すなわち週2回の新幹線利用。昔大阪の実家の頃は、例えば子供の頃は家族旅行で熱海なんかに行くのに新幹線に乗るのはもうそれ自体が、富士山が見えた！　やら、袋状の紙コップで水を飲んだりやらもう乗るだけでワクワクの一大イベントだったのに、今や本当にただの移動手段。2時間半いかに寝るかを考えるつまらない大人になってしまいました。ということで、今日は映画の中の新幹線の話。今語るなら『シン・ゴジラ』の無人新幹線爆弾なんでしょうが、まずはやっぱり外せない佐藤純弥監督の『新幹線大爆破』。高倉健、千葉真一、宇津井健のオールスターキャストに、『君よ憤怒の河を渉れ』『野性の証明』『北京原人 Who are you?』とトンデモ超大作でお馴染みの佐藤監督の傑作映画！　走行速度80㎞／hを下回ると爆発する爆弾を仕掛けられた新幹線、爆弾犯と国鉄と警察の攻防、そして走る車内のパニック等々、インスパイアされ制作されたといわれるヤン・デ・ボン監督の『スピード』を凌駕するスケール！…ながら、突然の火事だったり突然の柔道部だったり（←ぜひ映画を見てください）と映画的かわいさ爆発で大好きな映画です。あとハリウッド映画の『ハンテッド』の新幹線シーンも外せません。夏木マリ率いる忍者軍団対原田芳雄、島田楊子+日本刀SFアクション映画『ハイランダー』のクリストファー・ランバート。まず忍者軍団が運転手を殺害し新幹線をジャック、さらには一号車から順番に乗客全員を日本刀で大虐殺！　迎え撃つはほぼ一人で戦う原田芳雄。走る車内でのソードアクション、コレが昨今のダンスのような華麗な殺陣とは違って無骨でものすごくカッコイイ。このシーンだけでも必見です。あとそういえば、天井にウルヴァリン乗せて走ったことも…。さて無人新幹線爆弾の話を…と、その前に怪獣映画と新幹線の関係を語らなければなりません。1933年の

元祖怪獣映画『キングコング』の中でのコングが高架電車を襲うシーンから怪獣と鉄道は相性がいいのか、『ゴジラ』（54）の品川駅、『空の大怪獣ラドン』（56）の西鉄福岡駅、『キングコング対ゴジラ』（62）の東北本線の急行つがる…と次々と東宝映画で怪獣に鉄道が襲われるわけですが、東海道新幹線の開業は１９６４年なのでまだ走ってなくて、新幹線を襲う怪獣一番乗りは１９６５年の『大怪獣ガメラ』でのガメラさん。ガメラに先を越されたのがよほど悔しかったのか、84ゴジラまで東宝怪獣は開業から約20年もの間新幹線を襲うことがないのでありました。しかしながらの84ゴジラの新幹線のくだりは劇中一番の名シーンに。有楽町マリオンを壊したゴジラを見つけた新幹線（まだ0系）運転手が急ブレーキ！　そして、すし詰めの乗客を乗せた新幹線はまさにかっぱ寿司の「新幹線レーン」が如くお客さんのゴジラさんの前に召し上がれと言わんばかりにきっちり停車。大パニックの車内。一両ちぎって持ち上げて「具材は何かなー？」と覗き込んで中身がムッシュとなべやかんさんだと知るやポイッって、もうこのゴジラかわいすぎです。ＴＶ特撮での最初は『マグマ大使』（66）で、地底から出てきた怪獣モグネスに百人一首大会が如くバンバン叩かれて潰され…。『アイアンキング』（72）では不知火一族の巨大ロボット バキュミラーに無意味に手の中にブシューッと吸い込まれ、『大鉄人17』（77）では敵のロボットになり、０系新幹線はもう怪獣のおもちゃでありました。そんな夢の超特急に毎週乗っているわけですが、毎度東京戻りの車内では５００㎖の缶発泡酒を空けて、座席倒して夢の中へ。さてそろそろ無人新幹線爆弾の話を…と思ったら誌面が尽きてしまいました！　また来月！

7月 熱い！イベントの夏。

8月26日～27日は「C3AFA TOKYO 2017」が幕張メッセで開催。「アニメ・コミック・特撮・ノベル・ゲーム・コスプレ・ミリタリー・フィギュア・模型の祭典」と、広くホビーを扱うホビージャパンが特別協力だけあって盛りに盛った驚異の守備範囲！大学で今の学生たちを見ていると正に多種多様で、ひと昔前の閉じたオタク趣味のイメージからすれば、さらに細分化&広範囲化そして一般化（メジャー化）している印象で、特定の作品のイベントやカフェなんかも各地で開催される昨今、「C3AFA TOKYO」のホビーの大型総合イベントという切り口は、若い人たちにとって正解と言えるのでありましょう。

そして、「若い人たちに向けた…」という意味では、ちょうど今、大準備中&参加者大募集中なんですが、9月2日に自分が教えている大阪芸大短大部の伊丹学舎で「デザイン&アートフェス in ITAMI」というイベントをデザイン美術学科の先生方一緒にと催します。テーマを「デザインとアート」と大きく構えるも参加者を高校生&中学生という若い人を中心に据えるという過去無かった（と思う）イベントで、うちの学校の体育館を大きなギャラリーと見立てて中高生の作品を展示したり、マーケットエリアではグッズや同人誌等々販売も可。しかも、なんと出展無料！なので、本誌読者の中高生の皆さん！ぜひ検索していただいて、エントリーをよろしくお願いします！この件、来月改めて。

模型やフィギュアに特化したイベントといえばもちろん老舗巨大イベント「ワンダーフェスティバル」。本誌（月刊ホビージャパン）が出る頃は数日前で出展される方々は恒例の大修羅場と化していることと思います（↑当然自分もですが）。そんなワンフェスの実行委員長で、海洋堂社長、そして大阪芸大の教授…の「センム」こと宮脇修一

さんが60歳のお誕生日すなわち還暦を迎えられ、ヒルトン大阪でパーティーが催されたんですが、それがまさに「イベント」だったのでそのレポートを。6月30日「大勝利パーティー」と名付けられたその会には本誌読者ならおなじみのVIP級有名人が多数集結でひとりひとり挙げればこの文字数埋まってしまうくらい、右見ても左見てもサインが欲しくなる方ばかり。水中ニーソの古賀学さんが制作した映像が会場の巨大スクリーンに流れるとドイツ軍服をまとったセンムがシュビムワーゲンで登場。これはタミヤ「1/35ドイツ水陸両用車シュビムワーゲン」のパッケージ完全再現なんだそう。始まって早々、浅井真紀さん、かたやまひろしさん、大山竜さん、榎木ともひでさん、竹谷隆之さん（！）&自分が壇上に呼び出され、お題「センムの好きなもの」で即興造形対決。その間、石坂浩二さんをはじめとするレジェンド級ゲストトークも見られず、ホテルの豪華コース料理もお預け。40分後発表で自分は『マッドマックス』のイモータンジョーに見立てたセンムを油土で作ってご機嫌をうかがいました。思えば高校生の頃、飾られてるフィギュアを見るため自転車でよく行った巨大倉庫時代の海洋堂。30数年後、そのレジで色塗りしていた人の還暦お祝いで粘土細工を作ることになるとは夢にも思わず感慨です。他にもいわゆるゲストトークだけでなく、プラモケイのお宝鑑定、写真撮影禁止の開発中模型のお披露目、世界の軍服（コスプレでなく本物）のファッションショー、明和電機や高知所縁のう～みさんやアイドルユニット シュガートラップのライブ、情景師アラーキーさんの模型贈呈、等々…1次会2次会含めて約6時間の長丁場。センムが好きな人だけをお客さんとして集めて、センムが好きなことだけをやるまさに「センム」がテーマ究極のイベントでありました。「大勝利パーティー」熱かったです！

8月　造形家・片桐仁さんのこと

この連載が始まってからずっと書きかかったアノ人のことを今月やっと書きますよ。ホビージャパンはガンプラやミリタリーをはじめとする模型やフィギュア、玩具まで扱う言わば「もの作り」の雑誌なわけですが、もの作りと言えば、絵画や彫刻などの「アート」から、グラフィックやプロダクツなどの「デザイン」等々、本当にさまざま。自分もそれに携わる人間の一人としてどうやって作ったもので人を楽しませられるかを考える日々なんですが、そんなアートだったりホビーだったりデザインだったりそれらの垣根を越えて…というか全部融合して楽しい作品を作り続けている造形作家が片桐仁さん。コントユニット・ラーメンズやTVのバラエティやドラマ、ラジオ、そして舞台等々、タレント・俳優…いわゆる「芸能人」として有名な片桐さんですが、造形作家としての片桐さんが本当にすごいんです！　片桐さんの造形スタイルは日用品にエポキシパテやスカルピーなど粘土を盛り付けて、その機能をギリギリ残したまま（？）動物や人物（ほぼ本人）に造り変えるというもの。うずまきなど縄文的なテクスチャーのディテールにドールアイ、独特な色彩、何より魅力的なのはそれぞれの「キャラクター化された」と言っていいデザイン。禍々しくもあり、可愛くもあり、そしてちょっと笑えたり。以前は無機物だった日用品がまったく違う別の生き物に変身し、まるで粘土の魔法で命が宿ったようであります。そして、造形メチャクチャ上手い！　タレントさんが趣味でやってますよ的なイメージを持たれてる方がいるなら、作品を見ればびっくりすること必至。粘土細工ぐらいしかとりえのない自分が猛省してしまうほどです。多摩美出身で学生の頃からアーティストを志していた片桐さんですが実は完全にコッチ側の人間。ガンプラ好きは有名ですが、ゼネプロのファンクラブだった「ノウンスペースクラブ」に入会し、都産貿で開催されていた初期ワンフェスにも行っていたほど。筋金入りなんです。そんな片桐さんの作品は作品集でも見ることが可能ですが、現在全国のイオンモールで不条理アート粘土作品展『ギリ展』が巡回中。しかもその巡回地にちなんだ新作を携えて。舞台やＴＶで猛烈に忙しいはずなのに一体いつ寝てるんでしょう…。作品を生で見るチャンスはなかなか無いと思いますので、お近くに来られたらこの機会にぜひです。

　ほっケース、ハトヒール、カードゲーム「民芸スタジアム」等々…数々の面白作品を発表する妄想工作作家の乙幡啓子さんとともに、片桐さんが不定期で開催しているイベント「また、つまらぬ物を作ってしまった」がまた面白い。ひとつのテーマをもとにおふたりが「つまらぬ」立体作品を製作、それを当日発表しそのくだらなさ加減を笑いあうという催しで、芸人のたいがー・りーさんにさらにはお客さんも巻き込んで大盛り上がりとか。そして、先月もこのコラムで書いたんですが、９月２日に自分の教える大阪芸大短大部で開催する「デザイン＆アートフェス in ＩＴＡＭＩ」。デザインやアート好きな中高生のための催しなんですが、「アート作品で人を楽しませる」というのが正にこのフェスの趣旨にピッタリということで、東京からおふたりをお呼びして、フェス内でその「またつま」を開催することになりました。しかもおふたりに加えて自分も参戦。「夏」をテーマに今から（ちょっとビビりながら）作戦を練る日々なのです。

　さて、自分のこの連載コラム枠なんですが、実は５年前にその片桐さんから引き継いだもの。そういう意味でも身を引き締めて頑張って続けていかねばと改めて。

9月　アニメの怪獣ってどう？

　ここでも書いてきたずっと準備してきた大学でのアートイベントが終わって腑抜けてます。イベントは結果たくさんの方々に来て見て体験してもらって、反省は山の如しなんですがお客さんの楽しそうな笑顔を見ているとやってよかったなあと。ただ自分の状況的にはぜんぜん腑抜けてる場合ではなく、大阪西区のSHOT BARエニグマでのグループ展、ビッグサイト「全日本模型ホビーショー」での造形実演、10月7日・8日大阪あべのベルタでの「アート・ウェイ・オオサカ4」出展…とイベントラッシュ。学校も夏休み明けて新学期スタートで気合を入れなおさないと！な状況であります。そんなバタバタの最中なんですがアニメ映画『GODZILLA 怪獣惑星』に出てくるゴジラの姿が解禁となってましたですね。予告の映像にチラ映りするその姿にはピンと来なかった人も、映画のキャンペーン用に製作された2mのゴジラ像には反応多数。「シルエットがギャレス版に似てる」や「正面顔がおっさんみたい」等々。自分個人的にはアニメということでシャープに洗練された、あるいは表情豊かなゴジラを無意識にイメージしていたので「なるほどこういう系なんですね」という印象でした。キュウソネコカミの「NO MORE 劣化実写化」じゃないけれど、とかくアニメやゲームが実写化される時は原作ファンの拒絶感からの炎上がセットになってる昨今。『GODZILLA 怪獣惑星』だけでなく『打ち上げ花火、下から見るか？横から見るか？』『電光超人グリッドマン』等実写からのアニメ化もちょっと増えてきた。成功例だともう10年以上前の細田守監督の『時をかける少女』があるも、その後あんまり無かった「実写→アニメ」の流れ、例えば50歳のおっさんである俺の好きな映画『HOUSE』とか『爆裂都市』とか『宇宙からのメッセージ』とか今のセンスでアニメになったら観たいななんて妄想しつつ、そのあたりちょっと注目したいところであります。さて、アトムも鉄人もアニメの前にまず実写化だったり、過去例えば『レインボーマン』や『仮面の忍者赤影』等、特撮ものからのアニメ化も少なからずあったりするわけですが、こと「怪獣」に限って言えば（自分がただおっさん脳だからかもですが）、アニメのというか絵だとなんというか燃えない。子供の頃『ザ☆ウルトラマン』（79）が始まるときもウルトラマンそのもののビジュアルには抵抗なかったんですが、アニメの怪獣にはぜんぜんノれなかった。そういう意味では『恐竜大戦争アイゼンボーグ』は正しい！『ザ☆ウルトラマン』も変身後は特撮にすれば良かったんだと今でも。もうこれもずいぶん前になるのですが、粟津順監督の『惑星大怪獣ネガドン』『プランゼット』は「アニメで怪獣」の大きな挑戦だったと思う。さて話をゴジラに戻す。ご存知の通り過去2度シリーズアニメ化されたゴジラ。ひとつめは『チキチキマシン猛レース』や『大魔王シャザーン』米国ハンナ・バーベラ社が78年に製作したＴＶアニメ『Godzilla』。マスコットキャラとして翼のあるゴジラの親戚怪獣ゴーズキーが出てきたりして、今度の怪獣惑星とちょっとリンク？とよぎったり。もうひとつは99年のＴＶアニメ『Godzilla:The Series』。こちらも米国製。ローランド・エメリッヒ監督の『Godzilla』の続編的に製作された全40話！死んだゴジラを宇宙人がサイボーグ化して蘇らせたCyber-Godzillaなんかも出たりするらしい。両方ちゃんと観たいので日本でのソフト化希望ですよ。そしていろいろ文句を言ってきましたが、アニメだろうがなんだろうが「ゴジラ」と名がつけば、やっぱり気になってしまう悲しい性。ええ『GODZILLA 怪獣惑星』、もちろん楽しみですよ。

10月 昭和感を考える

「びっくりしたなぁ！ もう！」最近本当にビックリするニュースが多い！ ひとつは中村達さんが結成20周年のPOLYSICS加入のニュース！ 科楽特奏隊として自分企画の『ご当地怪獣』のテーマ曲も演奏してくださっている中村さんが、特撮&DEVO愛で自分も大好きなPOLYSICSの新メンバーになるなんて想像だにしなかった！ そして、もうひとつは、『Ma.K.』ハリウッド映画化の話題。やっぱりすごい横山宏先生！ 思えば『ゴジラVSビオランテ』でスーパーXⅡデザインの際の件をお聞きするに横山先生の繊細にして縦横無尽、文字通り類稀な才能は、息苦しいこの国の映画界では発揮できにくいと思うので、これは本当に楽しみ。前身の「S.F.3.D」が始まったのが昭和57年（そういえば今年は『Ma.K.』になってPOLYSICSと同じ20周年！）。先日イベントでお会いした片桐仁さんも言ってましたが「造り（創り）続けることが何より大事」って、昭和の時代から権利のことなどいろいろ乗り越えて、ずっと世界観を貫いて創り続ける横山先生のすごさ、改めて大尊敬です。で、（ちょっと強引ですが）今回は「昭和感」という話題。ビッグサイトでのホビーショーや新宿歌舞伎町でのスチームパンクのイベント「STEAM PARK」での製作実演などここ数日イベント出演（出展）が続いていたんですが、そのひとつ「AWO4～昭和ロマンチック～」のお話を。大阪は阿倍野区にある「あべのベルタ」は30年前の1987年から続く商業ビル。昔はアニメイトもあり、自分が学生の頃はまだ日本橋も今のようにアキバ化していなかったので、天王寺に行った際は立ち寄ることも多かったのですが、今は天王寺駅周囲の再開発も進み、空き店舗も目立つ感じに…。久々に訪れれば今の洗練されたショッピングモールとは違って、生活感もありちょっとレトロな面持ちで雰囲気がある。よくお世話になっているアート・ウェイ・オオサカさんがこの場所を使ってハンドクラフトマーケットをやるにあたって選んだテーマが「昭和ロマンチック」で、なるほど納得。大阪芸短としての出展なので学生たちと参加させていただいたわけですが、なんせテーマが「昭和」。バリバリ平成生まれの学生たちに「昭和がテーマのグッズを作れ！」令も、彼らにその昭和感を伝えるのがひと苦労。「今は無い懐かしい何かをモチーフにしなさい」とか「『魔女っこ●●ちゃん』とか『となりの●●くん』とか『●●マン』とか昭和っぽいキャラクターを考えるのはどうか」とかいろいろ提案していくうちに、自分自身が「昭和感って何だ??」と陥ってしまう事態に。思えば『ご当地怪獣』をデザインしていく時、会議でよく使った言葉が「昭和感」でした。着ぐるみ怪獣のアナログ感、どんなキャラクターでもスタイリッシュにイケメン化してしまう昨今の風潮へのアンチテーゼ。結果、その昭和感が足かせとなってデザインの面白さを損なう場面もあり、単にレトロとは言い換えられない郷愁、大らかなかわいさ…デザインに落とし込むその難しさを体感しました。昭和初期の人は懐かしさや古さの意味で「大正感」とか言わなかったと思うのですが、何より60年以上続いた昭和という時代。その幅広さは30代以上の大人にとっても生きた時代によって感じ方はさまざまなのに、それを全く体験していない平成生まれの学生たちは果たして「懐かしさ」として捉えるのだろうか？自分たちが時代劇を見る感じに近いんじゃないだろうか？結果、学生たちのほとんどがレコード、カセットテープ、ＶＨＳ、筒型ポスト、家具調テレビ…など昭和のアイテムをモチーフに制作したのでありました。そんな学生たちの間でいつか懐かしさを表す言葉で「平成感」が使われるんだろうな…などと思いつつ。

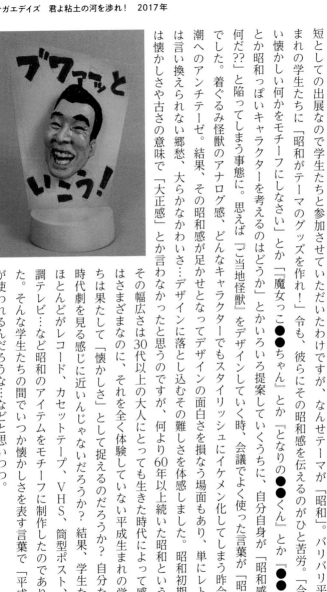

11月　映画のまち調布!!

今回はローカルな話題でスミマセン（って、いつも?）。自分の住んでる東京は調布の駅前に遂に遂に遂にシネコンが出来たのですよ! パチパチパチ! 大阪からこの町に越してきたのが23年前。『ガメラ大怪獣空中決戦』の特撮現場に呼んでいただいたのをきっかけに上京したんでありますが、降り立ったその町で見かけた小さな看板に書いてあったのが「日本のハリウッド 調布」の文字。確かに大映スタジオ（現角川大映スタジオ）や日活撮影所や関連の美術会社もあり、住んでると町中でロケや有名な俳優さんを見かけることもあったりして、ハリウッドには及ばずとも「映画」が間近に感じられる町ではあるのですが、弱点は「映画館」。駅前のパルコの上に130席程の小さな映画館「パルコ調布キネマ」が唯一あって、自分も『ヤマトタケル』や『ゴジラVSデストロイア』なんかはそこで観たりして思い出がいっぱいだったんですが、2005年に隣町の府中市には東宝系のシネコンが出来てからもっぱら映画はそっちで観るようになってしまって、そしたら…2011年に残念ながら閉館に…。長らく映画館の無い「映画のまち」だったわけですが、突如始まった調布駅地下化の工事。田口清隆監督の怪獣自主映画『G』で怪獣ガラエモンが暴れまくって壊したから…というわけではないですが、その工事とともに地上駅跡地の大開発! そして今年9月、新たに建ったトリエと呼ばれるその3棟のビルは書店や飲食店が入ったA館、家電量販店のB館、そしてC館が大型シネコンの「イオンシネマシアタス調布」なのです。ちなみに、家電量販店は残念ながらホビー系コーナーは充実ならずだったので、今後ぜひ塗料や粘土、パテなど材料の品揃え拡充を希望であります。さてシアタス調布。足を伸ばしてくつろぎながら観られるリクライニングシートのプレミアムなスクリーンや立体音響dts-Xを備えた巨大スクリーンのULTIRAは530席! そして!

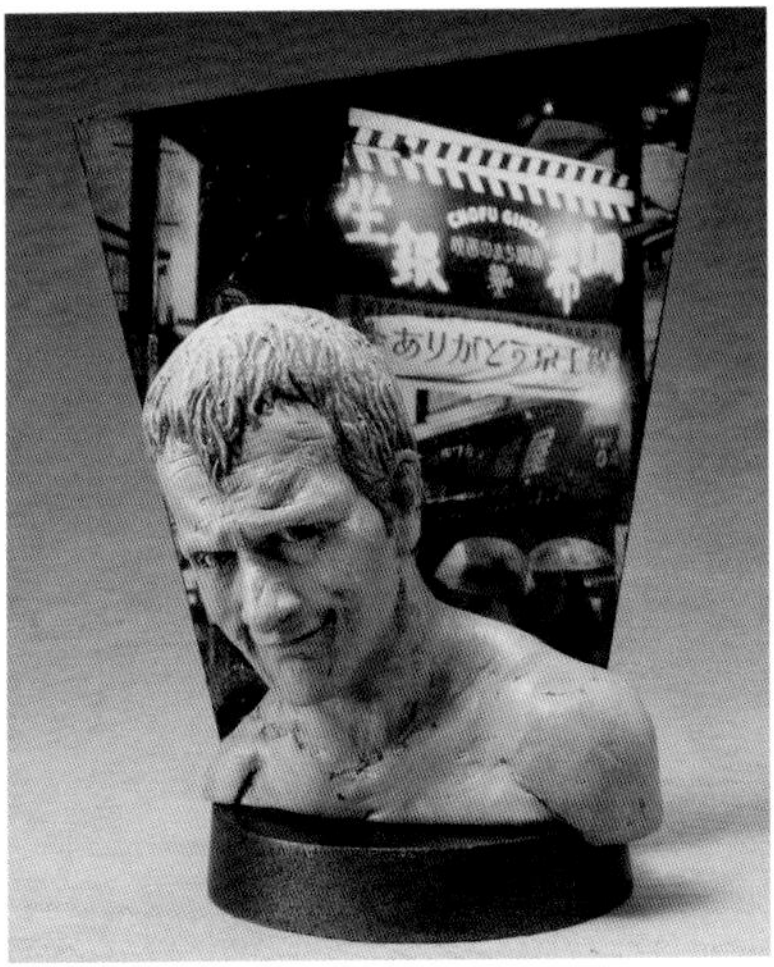

体感型アトラクションシアター「４ＤＸ」が遂に調布に!! 思えば数年前、４ＤＸ『パシフィック・リム』を体感するために名古屋方面までわざわざ新幹線に乗ってみんなで観に行ったのが、今じゃ自転車で数分の場所にいつでも観に行けるなんて！ 全11スクリーンに総座席数１６７２席の贅沢空間が近所に！ なんてもう夢のようですよ。開館から数日間はオープニング特別興行で『スタンド・バイ・ミー』などの名作映画や『この世界の片隅に』などヒット映画が連日上映され大変な混雑だったようですが、落ち着いた頃に自分も行ってきましたですよ。まずは、調布在住の小説家中沢健先生もオススメの北野武監督『アウトレイジ最終章』を1本目に選択だバカヤロウ！ 全員悪人から全員暴走へ、アウトレイジシリーズも3作目にして完結編。前作ビヨンドからの伏線回収があったりするも、広い世代（お子様を除く）が楽しめるバイオレンスエンターテイメントでありました。2本目はその幅20ｍ級大スクリーンのＵＬＴＩＲＡにて『ブレードランナー２０４９』を観ましたよ。久々のミニチュア特撮超大作でもある本作、迫力の映像は大スクリーンで大満足。展開も約3時間の尺を感じさせない面白さ。カルト映画の続編というハードルをきれいなフォームで飛び越え、ドゥニ・ヴィルヌーヴ監督のその手腕、本当にお見事でありました。小雨そぼふる夜の調布で新作ブレラン観ることになるなんて…と感慨です。ということで、本当の意味で「映画のまち」となった我が町調布。今後おそらく観る本数も増えてしまうと思うので、また面白かった映画があったら粘土細工とともにここで書かせてください。

12月 色の話いろいろ

新世代造形大賞2017が終了。今年で2回目、30歳以下の若手造形作家を応援する意図で開催のコンテストで、フィギュア作品を中心にディオラマや工芸作品など今年も100点ほどの作品が集まりました。大賞には猫（?）とキノコのキャラクターがモチーフの作品で素材はなんと陶器！ キャラクターの表情や切り取られた場面からドラマを感じさせて、自分らが思う「陶器（工芸品）」の既成イメージを覆す素晴らしい作品。陶器と言えば色は素材そのものか焼き付けで行うため調色した塗料を塗布するフィギュアと違ってコントロールが難しいんだと思いますが、その質感も含め見事でした。陶芸家・星野菜月さん、注目の作家です。塗装と言えば、今回も飛び入りゲスト審査員として生きるフィギュアレジェンドBOMEさんが来てくださいました。急遽設定のBOME賞は、大阪芸大短大部の学生のカラフルな作品に。造形師としてだけではなく海洋堂のキャラクターフィギュアの塗装も多数手掛けられるBOMEさんからの出展者へのコメントは「塗装にももっと気を使い、配色や鮮やかな色味を心掛けなさい。（←要約）」とのこと。特に今回の出展者は造形にこだわるあまり、塗装の際、強調のための影色などで暗い作品が多かった印象。自分も塗装が得意じゃないので、なるほどと聞き入っていました。特に今年は各社から模型用塗料の新製品ラッシュで塗料関係の話題が多かった。主な模型塗料と言えばラッカー系のGSIクレオスMr.カラーとガイアノーツのガイアカラー、水性アクリル系だとGSIクレオス水性ホビーカラーとタミヤアクリル塗料、エナメル系だとタミヤカラーエナメル…でそれらを使い分けてフィギュアなど塗装していたわけですが、ガイアノーツがエナメルカラーを遂に発売。白&黒に三原色のシアン、マゼンダ、イエローから始まり、タミヤには無かった蛍光色をリリースするなどこれからの展開が楽しみです。そしてそのタミヤが瓶入りラッカー塗料展開を遂に開始！「佐世保海軍工廠グレイ」や「濃緑色（陸上自衛隊）」などタミヤの販売する模型に特化した色など他2社との差別化を意識した展開が楽しみです。さらにイギリスのウォー・シミュレーションゲームの会社ゲームズワークショップから発売されている水性アクリル系のシタデルカラーも話題になっていたり、自分もまだまだ勉強しないといけません。

そんな中、映画を2本観たので「色」で語ってみたいと思います。まずは『GODZILLA 怪獣惑星』。日本では初のアニメゴジラですが、このコラムでも以前書いた通りアメリカではすでに2度シリーズアニメ化されていて、78年ハンナ・バーベラ版ではゴジラの体色はなぜか緑色。思えば60年代の米国オーロラ社から発売されていたGODZILLAのプラモケイもパッケージのそれはなぜか緑色でこれはなぜなのかちょっと研究が必要かもです。そして、

今回の日本のアニゴジも体色が緑色に。もちろん「植物由来」という設定もありますが、タイトルが『ゴジラ怪獣惑星』でなく『GODZILLA～』なのはなんだかちょっと納得です。2本目は『ジャスティス・リーグ』。『マン・オブ・スティール』以降、ＤＣキャラクター映画担当のザック・スナイダー監督作品は、日本でもヒットのマーベル作品に比べてとにかく暗い。その作風に合わせてか、本来色鮮やかなアメコミヒーローのコスチュームも彩度を落としてＢＯＭＥさんに怒られそうな暗い色味に。しかし、そんな彩度低めのヒーローたちがライバル映画『アベンジャーズ』監督脚本のジョス・ウェドン参加によってかオチャメにチーム組んで敵と戦うのが微笑ましく楽しかったです。ということで今年もおしまい。皆様、色鮮やかな良いお年を！

綾称（元BiS ゴ・ジーラ）

ライブハウスで『ご当地怪獣』のテーマソングを聴いて「こんな愉快なことを考えてる人がいるんだ！」と感動しました。それが寒河江さんとの出会いです。あとヒョウガラヤンが可愛い！　こんなふうになりたい！と思ったのを覚えています。つまんない日々から飛び出たくてアイドルになってみると寒河江さんと縁のあるグループで活動することになりました。うれしかった自分は47都道府県で『ご当地怪獣』すべてを大声で叫ぶという勝手に楽しい思い出を作らせていただきました。その約一年間だけは本当に本物の楽しい思い出です。なんやかんやあってアイドルを辞め、つまんない日々に逆戻りしノリと勢いと適当さで結婚を決めました。それを報告をさせてもらったとき泣いて喜んでくださりびっくりしました。結婚という世間一般的にはめでたいことが自分にとっては全くそうではなかったので、涙をもらって初めて「これはうれしいことなんだ！」と自覚できました。愛あるまっすぐ突き刺さる「本当におめでとう」という言葉がめちゃくちゃうれしくて涙が出そうになって。ちゃんと「結婚してよかった」と思えました。寒河江さんは周りの方やモノに愛情が深い人で、いつか自分もそうなりたいです。最後にお話しできたときに「いろいろと頑張る」といったのでがんばります。寒河江さんがワクワクしてくれるような人になりますので楽しんでもらえるとうれしいです。どうぞ寒河江さんよろしくお願いします！　いえーい！！

2018年

サガエデイズ 君よ粘土の河を渉れ！

1月　ロボ対怪獣2018

さあ2018年！　早速面白かった『キングスマン：ゴールデン・サークル』！　映画始まったとたん文字通りフルスロットルのカーアクション！　ガジェット満載の展開に、戌年にふさわしく2体のよろしくメカドッグも登場して新年早々大笑いでした！　今年も楽しそうな映画が目白押し。昨年は自分の神様の一人永井豪先生画業50周年！　Netflixの『デビルマン』や、発表になったハニー新作『Cutie Honey Universe』とガンガン展開されてますが、この号が出る頃にはそのプロジェクトのひとつ『劇場版マジンガーZ／INFINITY』が公開中。マジンガーといえば今では当たり前な「人が乗って操縦する巨大ロボ」の元祖。子供の頃「うわ、乗るんや！」とその衝撃は忘れもしません。そして、毎週登場する機械獣のなんと魅力的なこと！　毎週これらをデザインして建造してたドクターヘルは天才科学者であるとともに天才キャラクターデザイナー。そして、「機械獣」の名が示す通り、敵メカ（ロボ）というよりそれは正に怪獣。ウィンダムやナースも怪獣なんだったら、それらも怪獣と言い切っていいでしょう。って、あとから出てくるミケーネ帝国の妖機械獣は完全に怪獣ですが。当時のちびっ子（含む俺）は、毎週繰り広げられる巨大ロボ対怪獣の肉弾戦にワクワクしたものです。現時点で未見の新作マジンガー、今のアニメーションの画風やデザインに果たしてオッサンの自分が馴染めるかどうかでありますが、これは楽しみです。ということで、今回のお題は「ロボ対怪獣」。そう今年公開の映画は、ロボと怪獣が戦う系の作品が多いのです。早速2月にはシリーズ第5弾『スターシップ・トゥルーパーズ　レッドプラネット』が。昆虫型巨大生命体バグは正に宇宙怪獣。対する人類トゥルーパーズが装着するパワードスーツを「ロボ」と呼ぶと怒られそうですが、モビルスーツの発想やネーミングの原点と考えれば（…以下略）。3月は飛ばして4月！　ついに真打登場です！　そう、『パシフィック・リム：アップライジング』！　ギレルモ・デル・トロ監督の前作から5年、待ち遠しくてたまりませんですよ。「巨大ロボ対怪獣」という超王道（←俺基準）をオリジナルでしかもハリウッド大作実写映画として作った夢の映画。何より「KAIJU」を世界に通じる言葉にした功績。この映画が無ければギャレス版ゴジラ、さらにはシン・ゴジラの流れも無かったかもしれませんですよ、マジで。同じレジェンダリー・ピクチャーズ製作のゴジラやキングコングをクロスオーバーさせたモンスターユニバースに合流するのかは分かりませんが、そうなったらハリウッド映画にジェットジャガーが登場したりも夢じゃない。そして、5月はアニゴジ第2弾『GODZILLA 決戦起動増殖都市』！　前作『怪獣惑星』のラストで「ボルジャーノンと名付けよう！」的にチラっと映ったアニメ版メカゴジラ（？）が動いて活躍するのなら、これまた「ロボ対怪獣」。あのラストからどう繋がるのか？　新たな怪獣は出てくるのか？　タイトルの「増殖都市」って何なのか？　というか最後のアレは本当にメカゴジラなのか？　本当に謎だらけで、当然押さえておかないといけません。メカゴジラといえば機龍が出るのかどうかが気になる『レディ・プレイヤー1』は4月公開。トレイラーではRX-78ガンダムがばっちり登場。ウルトラマンやエヴァは出ないとか噂はいろいろですが、アニゴジ同様こちらも気になりまくりです。あと、ガーディアンズ参戦の『アベンジャーズ／インフィニティ・ウォー』やもはや怪獣映画の『ジュラシック・ワールド／炎の王国』も楽しみですが、なんだか今回の話題はアニメと洋画ばっかり。ということで、自分はそれをミニチュア特撮で観たいのだ。頑張れ日本の特撮映画。

2月　新生アイドル研究会B・i・Sのこと

デスクロスV9とかジェイサーJ1とかジャイアンF3とかタイターンG9とかジェノサイダーF9とかダムダムL2とかたまらんかわいかった！『劇場版 マジンガーZ／INFINITY』の話。正直言うとお話や今風なキャラクターデザインには全然乗れなかったのですが、機械獣の出てくるシーンは全部素晴らしい！特撮っぽいカット満載で助監督&画コンテで平成ゴジラのなかの★陽さんが入られてたのを知って、なるほど納得。さて、年が明けたと思ったらもう3月が目前！ウチの大阪芸大も四年制&短大ともに現在卒業制作展の真っ只中。先生になってから学校行事で季節を感じる場面多数です。卒業といえば、昨年末からのグループアイドルのメンバー卒業&脱退ラッシュ。でんぱの最上もが、モー娘。工藤遥、AKB渡辺麻友、乃木坂生駒里奈、ももクロ有安杏果…と、アイドルに興味がなくてもニュースなどで話題にしてしまう昨今でありますが、一番ショックだったのはB・i・Sのプー・ルイさんが突然卒業発表したこと！ということで、今月はアイドルグループ「新生アイドル研究会 B・i・S」の話を。（注：今月のコラムいつもに増してホビージャパン読者置いてけぼりかもでスミマセン。）2016年9月のこと、札幌で「ローデッドウェポン」というボンクラで通好みな映画ミニコミ誌を発行しているDJ亜星さん（仮名）から「新メンバーにゴ・ジーラを名乗る方がいて、寒河江さんにお伝えしたく！オーディションでは科楽特奏隊Tを着たりしてて今後の活躍が色々楽しみです!!」とのつぶやきで、2014年に一度解散したB・i・Sが創設メンバーのプー・ルイを中心に新メンバーで再結成再始動のニュースを知る。しかも、自分企画の『ご当地怪獣』の曲も歌ってくれている科楽特奏隊のTシャツで参加のメンバーもいるとなったら応援せざるをです。再結成前の旧B・i・Sはとにかく過激な言わばエクストリームアイドルで、話題になる事件

を連発。全裸ＰＶや偽の新曲告知、ももクロの街頭プロモに乱入ゲリラライブを目論んだり、１００㎞マラソンや24時間耐久インストアイベント等々、本当に面白かったんですが、それでもイロモノじゃなく支持されてたのは、なんといっても楽曲がカッコよかったから。自分の仕事追い込みの時の定番ＣＤなのでした（今も）。そして再結成後の新ＢｉＳも新曲どれもムチャイイので皆にぜひ聴いてほしい。そんなＢｉＳのワンマンに行ってきましたですよ。１月21日大阪バナナホール。「バナナホール」というライブハウスは、30年程前よく通った場所でライブの他自主映画や演劇なんかもやったりして自分の青春の思い出が詰まった場所。後に閉館し場所を変えて新しく建ったのですが、その名前だけで思い入れひとしおです。そんなＢｉＳのライブは冒頭とアンコール後以外はノーＭＣでフルスロットル全力疾走。そして、ファンの熱量。最高！でした。女の子のファンも多いのですが自分と同世代と思しきおじさん世代もチラホラ。自分は後方に居たんですが、背の低い女の子が背伸びして見ようとしてるの見かねて、実は早めに入って見やすい柵前場所キープしてた自分と同世代の人がその場所を譲ってあげてるのを見てホッコリしたり。「パプリカ」という曲ではなぜか曲中ずっとメンバーもお客さんもスクワットをするんですが（しかも3曲リピートで）、その女の子もおじさんも一緒にスクワットしていて…いやホントなんか良かった。…とか書いてるうちに字数が尽きてた。何が言いたかったかというと、ＢｉＳリーダーのプー・ルイ卒業ラストステージは、３月４日両国国技館！自分ももちろん行くので、皆さんもぜひに！とお薦めします。

3月　ゴーストスクワッドさー！

和製カイロの紫のバラ『今夜ロマンス劇場で』、ジョン・ウーの『MANHUNT／追捕』、デル・トロの『シェイプ・オブ・ウォーター』（↑オスカーおめでとう）観て、人形映画の飯塚貴士監督の上映会行って、先月書いたBiSの両国国技館LIVE（↑ムッチャ良かった）、バンドユニット「THE夏の魔物」（↑これもムッチャ良かった）のLIVE行って…と、遊んでばっかり！　それぞれの感想書けばあっという間に誌面が足りなくなるので、とりあえず『MANHUNT』だけ。原作は西村寿行の小説そして1976年に佐藤純弥監督、高倉健主演で映画化された『君よ憤怒の河を渉れ』…そう！　このコラムのタイトル『君よ粘土の河を渉れ！』の元ネタなんですよ。ちなみに名付けてくださったのは『ウルトラマンギンガS』、『X』、『オーブ』のシリーズ構成・脚本でも知られる映画監督の中野貴雄さん。この連載も始まって丸6年でいまさらなことこの上なしですがありがとうございます！　さて『MANHUNT』ですが期待したジョン・ウー映画とは全然違ったんですが、自分の地元大阪で暴れまくりのバカアクション映画で笑いながら楽しめました。そして、斎藤工さんに島津健太郎さん、屋敷紘子さんと西村喜廣組や井口昇組お馴染みの俳優さんが出ていてその辺りもニヤリ。ということで…今回はその間にもう一本観た映画、その井口昇監督作『ゴーストスクワッド』のことを書きたいと思いますよ。井口監督は『片腕マシンガール』『ロボゲイシャ』で知られる鬼才。ホビージャパン読者には『電人ザボーガー』『ヌイグルマーZ』『監獄学園』の…と言った方が分かりやすいでしょうか。その井口監督自らプロデュースする女優アイドルグループ「ノーメイクス」主演映画第2弾がこの作品。理不尽に殺害され成仏できない少女たちの霊が無念を晴らすため「幽霊復讐部隊ゴーストスクワッド」を結成し、現世でのうのうと生きるその犯人たちに戦いを挑む！…と言うお話なのですが、そこは井口監督、一筋縄ではいきません。実体の無い霊である彼女たちが現世の人間と戦うのにある条件が必要だったり、幽霊なのに修行シーンがあったり、奇天烈な展開に重いテーマなのに終始ニヤニヤ。幽霊の女の子たちが右往左往している姿を見ているうちに、やがて浮き彫りになってくるテーマ。生と死、真の復讐、そして希望。ところどころ挿まれるコメディ風味な演出に油断して笑っている内にどんどん切なくなって行くイグチマジック。以前も書いたことがあるのですが、ピーター・ジャクソンの『さまよう魂たち』や植岡喜晴監督『夢で逢いましょう』大林宣彦監督『ふたり』等々、幽霊…すなわち死者のその後を描いた映画が大好きで、さらにはマシンガールやロボゲイシャ等井口監督の復讐劇にシビれまくった自分なのですが、想像の先を行く展開、拳や刃物や銃弾ではなくこれまでにない、そして腑に落ちる復讐の形を目の当たりにしヒザを打ちました。走り去るラスト猛烈に切なさがこみ上げます。エキセントリックな演出に応え正に体当たりのお芝居だったノーメイクスはアイドルグループである前にすごい女優さんなんだと改めて再認識。そして彼女たちが歌う主題歌もカッコイイ。メンバーのひとり神門実里さんはさらにクリエイターでもあり、この冬のワンダーフェスティバルで自らデザインしたTシャツを販売されていたのを目撃された方もいらっしゃると思います。映画『ゴーストスクワッド』、ノーメイクスとともにぜひ応援してください！

4月　熱烈！・上海ワンフェス!!

今月は「世界に羽ばたくご当地怪獣」の話題を。俺のこの3月を丸々1ヵ月捧げたと言っていい、『パシフィック・リム：アップライジング』ディオラマ、いかがだったでしょうか？　映画も面白かったのでそこも当然モチベーションだったのですが、本誌インタビュー時にスティーブン・デナイト監督にディオラマを見てもらえて、しかも会えるというニンジンぶら下げられたらそりゃエンジン全開で走りますよ。熱い特集ページになっていると思います。取材終了後、自分のやっているプロジェクト『ご当地怪獣』のテーマソングCDを監督にプレゼント。科楽特奏隊が演奏するこの曲は、北斗ヒョウリことタカハシヒョウリさんと遼秀樹こと中村遼さんが作詞作曲編曲。日本語のほかに英語&中国語ｖｅｒ．も収録されているので、怪獣ヲタ俺的認定のデナイト先輩、米国に帰って聴いてくれるといいなあ。さて、それから数日後、話題の「ワンダーフェスティバル　２０１８上海[Pre Stage]」に参加してきましたよ！　ちょうど教えている大阪芸大短大部での新入生ガイダンス等々と日程がかぶっていたので、自分は「途中から合流のお先に失礼先帰国」なタッチアンドゴースケジュールで、２日間開催の2日目のみの参加。ＮＯ観光滞在わずか32時間という強行軍だったんですが、上海ワンフェス自体がものすごく濃密で素晴らしいイベントで本当に参加させてもらって良かったと思えるイベントでありました！　日本の著名造形作家を紹介するプレゼンテーションブースでの参加でＢＯＭＥさんや松村しのぶさん、宮川武さんというベテランから高木アキノリさんや植田明志さん等新鋭作家まで18名、そして美少女からクリーチャー、動物、ロボット等々、各世代&各ジャンルから偏らず正に今の日本のフィギュア業界を語るにふさわしい人選だったと思います。そして、自分もそこに入れていただきご招待いただけて光栄でした。さて、自分は「人物フィギュアを」的な理由の人選だったと思うのですが、そこは『ご

当地怪獣』推しで展示。来たるべきこの日のために科特隊に中国語ver.のテーマ曲を作っていただいていたんですから！自分がまだ日本に居て参加できなかった初日、先に現地に入って展示等してくださっていた『ご当地怪獣』プロデューサーの内野さんから「すごいことになっていますよ！」とメール。添付の画像には並べたご当地怪獣のマケット（フィギュア）に群がるたくさんのお客さんの画像が！2日目、半信半疑で行ってみたら、思った以上の盛り上がりで仰天吃驚！いや、『ご当地怪獣』見るために行列できたり、俺のサイン欲しさの列も途切れず仕方なく時間で切ったり、日本じゃひっくり返っても考えられないこと。お客さんみんな若くて目がキラキラしていて女の子も多数。ブースではずっとサイン攻めからの『ご当地怪獣』の講演からの現地マスコミ取材からのワークショップ…と激務の一日でしたが、たくさんの中国のお客さん皆さん喜んでくれて本当に楽しかったです。自分以上にアイドル的大々人気だったのは大山竜さんと石長櫻子さん。作品的には塚田貴士さんや大畠雅人さんも。アニメキャラ的ベビーフェイスにハイディテールのフィギュアが人気な印象。展示は、12年前新宿高島屋で開催された『フィギュア作家の新世界展』を思い出させられ、その時に一緒に参加させていただいたウィーゴでお馴染みモデリズムの小林和史さんと感慨を語り合ったり、いや本当に良かった。初回ということでおそらくトラブルや不備はたくさんあったんでしょうが日本のフィギュアが大好きな中国の彼等と自分たちが出会えたというだけでも大成功だったと思います。ぜひ続けてほしいし次回もまた参加したい！そして、ツアー組んで日本のみんなも行くべき！と強く思った次第です。

5月 ミキシングビルド映画

先月は大阪で開催の『アリスと歯車3』内の企画『ハセガワJUNK PLANT スペシャルデモ』にてミキシングビルドの実演をやったんですが、これが楽しかった。飛行機や船等別の模型となるために生まれてきたハセガワさんの精巧なパーツ達を組み合わせて、全く違う自分だけのオリジナル作品に仕上げる楽しさ。「ハセガワJUNK PLANT」のサイトを見てみると投稿された作品たちが見られてとても楽しいんですが、見るだけじゃなく作品作ってぜひ投稿してみましょうよ！ お勧めです。そして、話題のハリウッド大作2本『アベンジャーズ／インフィニティ・ウォー』と『レディ・プレイヤー1』をやっと観ましたですよ。どっちもキャラ大量登場のお祭り映画な訳ですが、まずは『アベンジャーズ～』から。MCUからキャラクター全部のせの勢いですが、正直内容的には今までのストーリーやキャラクター達の関係性等知らないと全然分からない「いちげんさんお断り」な閉じた映画なのに、世界的大ヒットなんですって。過去のマーベル映画がすべて新作映画の宣伝となって来たゆえなんでしょうが。それにしても続々と登場する「主役」にそれぞれ見せ場を用意して大掛かりに魅せる〝theハリウッド〟な手法には圧倒されました。そして噂のレディプレ。改めて、スピルバーグ監督は上手い！ と純粋に映画として面白かったです。キャラが山のように沢山出る訳ですが、アベンジャーズと違うのは2点。一つは「他会社の他作品からの借り物キャラクター」だということ、そしてほとんどが「主役でなくモブキャラ」だということ。よく『DAICON オープニングアニメ』の実写版に例えられますが、いろんな原作のキャラクターがパロディの枠の中で夢の共演をはたすのってホントに楽しくワクワクします。今では著作権に関することがとてもシビアになって来ているので中々難しいのかもですが、それこそ昭和の頃は漫画やアニメでは結構盛んに行

われていました。有名なのは『Dr.スランプ』でペンギン村にゴジラやガメラがいたり、『マカロニほうれん荘』なんて最後の一枚大ゴマは引用キャラだらけでまんまレディプレ感。自分が究極だと思うのは、なんと言っても１９７７年の成井紀郎先生の漫画作品『ゴーゴー悟空』！西遊記モノなんですが、当時テレビでやっているアニメや特撮番組を紹介する「テレビマガジン」という雑誌で連載されている性格上、まさに今現役の人気キャラ達が原作の枠を超えてバンバン登場していて、ライダー、マジンガー、ヤマト、キャシャーン、コンバトラー…等々、挙げればキリがないくらい男の子向けキャラクター全員集合で大盛り上がりでした。アニメ作品だと手塚治虫先生監督の１９７０年の『クレオパトラ』。古代エジプトにサザエさんやバカボン、忍者カムイ、さらにはドガやピカソ、ゴッホといった名画までキャラクターとして登場する悪ノリ。ＤＶＤ買って久々に観てみたらその自由で斬新な演出にビックリしました。ということで今のご時世で権利関係をクリアして作り上げられた『レディ・プレイヤー1』！そして、他のいろんな作品から（隠さず）引用して組み立てられた映画を「ミキシングビルド映画」と勝手に命名して今回はお開き。

6月　香川で「またつま」

5月13日に香川県高松市で開催の「また、つまらぬ物を作ってしまった仏生山編」に参加してきましたですよ。以前このコラムでも紹介の通称「またつま」は、片桐仁さん、乙幡啓子さん、たいがー・りーさんの3人が事前に与えられたお題を元に面白く（そしてくだらない）アート作品を作って持ち寄り発表、さらには一般のお客さんも作って参加するというイベントで、今回は昨年9月に大阪芸大短大部で開催したアートイベント「げいたんランド」での「またつま」に続いての地方開催。今回は高松の仏生山にある雑貨店「TOYTOYTOY」さんが、妄想工作家の乙幡啓子さんの個展を開催したことと連動して主催されたのでありました。自分にとっては初の高松…どころか、実は人生初の四国。高松に着いたイベント前日、夕方頃に宿泊先から琴電に揺られ乙幡さんの個展を観るためTOYTOYTOYに行ってみたら、乙幡さんをはじめ、片桐さん、たいがーさん、そして今回ゲスト参加のデハラユキノリさんが勢ぞろい！　片桐さんたいがーさんとは「げいたんランド」「またつま」以来の再会。たいがーさんの発明品（アート作品）「ひとりで壁ドンできるマシーン」をみんなでゲラゲラ笑いながら体感したり、乙幡さんの面白工作作品群に圧倒されたり、また映画『犬●家の一族』のあのシーンが再現できる製氷器「足氷」等々グッズを買ったりイベント前日からもう楽しかった。そして、イベント当日。会場の「観翠」は結婚式などに使われる昭和感溢れる正に宴会場で雰囲気満点！　今回の作品のお題はズバリ「香川」。ゲストのデハラさんは中国の玩具を改造した怪しい河童人形を製作（香川県に河童伝承があるらしい）。乙幡さんは輪っか状に繋がったマフラーのスヌードをうどんをモチーフに作ったその名も「スヌウドン」！　ちくわや生卵、ネギなどのアクセサリーをつけて、手芸と工作をハイブリッドした王道の作品でした。片桐さんは「ソフビの原

型を造りたい」という衝動から、うどんのテクスチャーを持ったフランケンシュタインのフィギュア「ウドンケンシュタイン」を。これがかわいかったのでぜひ本当にソフビ商品化してほしいです！　妄想力No.1のたいがーさんは胸に穴の開いた「キューピッドの矢が刺さりやすい」Tシャツ他いろいろで、テーマの香川から外れていくも流石のプレゼンで会場を沸かせていました。さて自分たち一般参加のコーナー。東京方面などからの常連参加者も多数！　いくつか紹介すれば、ｗｅｂデザイナー松本ジュンイチローさん製作の香川のご当地ウェポン「寛永通砲・銭形」は、子供に遊ばれまくりで大人気。作家名「おいも」さんは、香川雅彦さんのヴィネット風フィギュアで香川照之さん他香川ネタをふんだんに盛り込んだ作品を…等々。さて自分は、「香川のうどんが美味しいのは獲れたての野生のうどんを調理してるから」のネット情報を元にラジコンのワニの玩具を改造して動く野生のうどんを製作。粘土で造ったネッシーやＵＦＯ風のうどんを合成した目撃情報の嘘画像を見せながらのプレゼンのあとに作品を出したら、悲鳴が上がる方向で…多分…きっと…ウケてホッと。ちなみにそのあとお客さんが撮った動画がＳＮＳ上でバズって、海外でもネットニュースになったりとうれし恥ずかし体験も。当日はあいにくの大雨だったんですが、温泉につかったりうどん食べたり、イベント後も出演者や参加者の皆さんと間近でお話したり、本当に楽しい旅行でした。

7月　パンク侍VS忍者蝙蝠男

書かずにおれずで無粋なのを承知でネタバレ的なことをほざきますよ。先月、試写で石井聰互改め石井岳龍監督作『パンク侍、斬られて候』を観させていただいたんです。町田町蔵改め町田康さんのぶっ飛んだ原作をクドカンこと宮藤官九郎さんがデタラメ増し増しで脚本化！　今の時代にこんな映画が許されるのか⁉︎　と思うくらい宣伝が難しい系の底抜け爆裂映画で大喜びの俺でした。そもそも学生の頃は石井監督の『狂い咲きサンダーロード』にシビれ『爆裂都市　ＢＵＲＳＴ　ＣＩＴＹ』に大興奮。『逆噴射家族』『エンジェル・ダスト』『水の中の八月』等々…石井作品は好きな映画ばかりなんですが、改名されてからは正直あまり追いかけておらずで『パンク侍…』を観て大反省の自分です。綾野剛演じる主人公の掛十之進が自分の勘違いでいきなり罪も無い物乞いを斬り殺す冒頭から覚悟完了。新興宗教団体「腹ふり党」が巻き起こす大暴動シーンまでもう脳が理解を超えてオーバーヒートする心地よさでした。山から猿の大群を援軍で呼び寄せる大特撮のクライマックスシーン。特撮監督は『シン・ゴジラ』特撮統括の尾上克郎さんが担当！「怪獣が暴れる」とか「巨大ロボが合体する」とか「ビルが爆発する」とかとは全く異なる今まで見たことのない大迫力のビジュアルで仰天。「サル１億匹と人間３０００人が激突する、史上もっともありえない大合戦シーン」という宣伝で流石に一億匹は描かれていないと思うのですがそれはすごかったであります。そしてその時自分がふと思ったのが、「これって『星の忍者』が実写化出来る！」と。『星の忍者』は劇団☆新感線のいのうえ歌舞伎シリーズ第一弾の演劇で、やはり学生の頃大好きだったんですが、その中で「狼の大群を呼び寄せる」という場面があって、舞台であるがゆえ「それを目撃した」という役者さんのお芝居で成立させていて（←それはもちろん役者さん達がすごいんですが）、こういうのを映像で観たいと思いつづけて30年。狼が猿に変わったとはいえ、それを見せていただいたと、身勝手に感動していたわけです。そして！今度は大阪の映画館でレイトで話題のアニメ『ニンジャバットマン』を観たのです。これまたムチャ面白かった!!脚本はその劇団☆新感線の（そして『グレンラガン』『キルラキル』の）作家中島かずきさん！正にコレってDCのキャラクターを借りた、正にアニメ版の『星の忍者』ではないですか!!そして、またしても猿の軍団のシーンが！『パンク侍…』とまさかの猿の軍団かぶり!!「城が変形してロボに！」は、新感線の初期の舞台（中島かずきさんの脚本ではないですが）『エレクトリック・アイズ』の大阪城が変形してロボになる「トヨトミー」な感じで、もうアニメで新感線の舞台を見せてもらったかのよう。そして、見終わってロビーに出たら、来た時は無かった『パンク侍、斬られて候』の衣装展示（準備中）が!!（その翌日から公開だったのです）「何??何??このリンク！」。思えば石井聰亙監督作品や新感線のお芝居が大好きだった学生の頃、80年代はやたら「パンク対ヘビメタ」ってネタ的に語られたりしてましたが、『パンク侍』対『ニンジャバットマン』、正にそんな感じで、あれから30年生きて来た幸せを噛みしめる51歳なのでありました。2本とも超オススメですよ。そして、お知らせ。同じくその頃開催だった造形コンテスト「アートプラ大賞」が奇跡の復活！しかも自分が審査員ですって！8月4日、8月5日に高知は四万十の海洋堂ホビー館で関連イベントに出演します。ワークショップとトークイベント、ぜひお越しください！ということで、このレポートは来月に。

8月 高知四万十に行ってきた！

旅館の朝、「ビョ～ン！ ビョ～ン！」「コカカカカ…」と海洋堂アキバ店長の大森ちきぃ太さんが謎の鳥獣の声を夜中に聞いたと言う。「いったいアレはなんだったのか」と。長年ここで暮らす女将は分からないと言い、それ以前に自分を含む宿泊客全員がそれを聞いていない。はたして⁉…と、その前に。台風12号が近づいてハラハラだったこの夏のワンフェスから早一ヵ月！今回『ワンダちゃんNDP』が望月けいさんのデザインで話題だったり盛り上がったんですが、自分は、教えている学生達の引率からの造形実演、アートプラ大賞審査＆トークステージ出演、WEB関係いろいろ取材、学校絡みの打ち合わせ＆ご挨拶等々でいつも以上の殺人的バタバタで全然回れず！お越しくださったのに不在でご挨拶出来なかった皆様申し訳ありませんでした！そして、その一週間後、自分は飛行機に。初めて降り立ったのは、竜馬空港。高知県に初上陸です。センム率いる海洋堂チームにお迎えいただき、車でのドライブ旅。海洋堂ゆかりの地を寄り道しつつ、連れて行ってもらったのは大正町市場。地元の鮮魚とお惣菜を市場で買ってその場で食べる贅沢。藁焼き体験させてもらった鰹のタタキの美味いこと！そして「急げ！」と再び車はドンドンドン山奥へ。四万十川沿いの道から外れさらに奥、人の気配が無くなって大丈夫かと思ったそこにありました、画像でしか見たことない派手な建物、「海洋堂ホビー館四万十」に到着！「見学を。」と思う間もなく、館内案内にも載っていない2階の作業室へ。「寒河江弘造形ワークショップ：オリジナル怪獣をつくろう！」の30分前！大急ぎで準備をして、何事もなかったかのように開始！デザインするところから始め、共通のアルミホイルで作った芯に粘土を盛り付け自由に「見たことない」怪獣を造形しようという企画。参加者はお子さんからそのお母さん。さらには地元の模型クラブの方まで。自分の『ご当地怪獣』のマケットを見せて、何かモチーフをひとつ決めてそれを怪獣にすると面白い…と話すと、子供の参加者が選んだモチーフは「イチゴ」「女の子」「飛行機」…という、その時点でもう面白いデザイン。高知の人の県民性なのか「オリジナルの」の部分にスイッチが入り、三時間後には正しく見たことない怪獣たちが並んで圧巻でした！ワークショップを終えて、「アートプラ大賞2018作品展」会場へ。アートプラ大賞は、かつて海洋堂が主催した模型造形のコンテストで、ゴジラ造形作家の酒井ゆうじさんや今日本の特殊メイク界のトップランナー藤原カクセイさんを輩出。今回24年ぶりに復活。自分も今回審査員として参加なんですが、他の方がBOMEさん、松村しのぶさん、

村上隆さん、竹谷隆之さん…と超豪華。皆さんがワンフェス会場で審査をした結果を基に、センムとともに応募全作品の実物をじっくり（本当にじっくり）見直して賞を確定していきました。応募された皆様お疲れ様でした！その夜も豪華高知グルメをスタッフの皆様といただき、旅館泊後、翌日は再びホビー館へ。センムとともにギャラリートークと賞発表。お客さんも賑わい、高知新聞や地元ケーブルテレビの取材も入り盛り上がりました。車でさらに山奥の馬之助神社にお参りし近隣のかっぱ館へ移動。小学校を改装したホビー館と違い、建物デザインから趣のある博覧会パビリオンのようなかっぱ館。かつての「カッパ造形大賞」作品がズラリ。野生のムササビを間近で見たり、名物かっぱカレーをいただいたり正に満喫の二日間でした。

9月 指令「調布怪獣で盛り上がれ！」

大阪から東京の「調布」という町に引っ越してきたのが1994年。すなわちここに住んでほぼ四半世紀。今51歳なので人生の半分はこの町で暮らしてきた自分。以前シネコンも出来てやっと「映画の町」感が出たなんてことをここで書きました。また水木しげる先生が住んでいらっしゃったことから「妖怪」も推しているのですが、映画の町、妖怪の町であると同時に実は調布は「怪獣の町」なのであります。京王線調布駅に着けば構内にてガメラや大魔神の壁画がお出迎え、「くろがねや」というホームセンターには敷地内にゴジラの像が残っていたり、昭和・平成のガメラを撮影した角川大映スタジオには巨大大魔神像や着ぐるみレプリカのガメラやイリスが展示され、日活調布撮影所では『大巨獣ガッパ』や平成以降の劇場版やウルトラマン（ここ数年はテレビシリーズも）がずっと撮られていたりもします。またガメラをはじめ仮面ライダーなど昭和の怪獣&変身ブームを支えた日本最初の怪獣造形工房エキスプロダクションや日本で製作されているほとんどの怪獣映画の撮影用ビルなどのミニチュアを手掛ける美術製作会社マーブリング・ファインアーツなどゆかりの会社も多数。そうそう、アンヌ隊員を演じられたひし美ゆり子さんのお店も。…ということで、そんな「怪獣のまち」調布を盛り上げようと9月2日にイベントを仕掛けてきましたので今回はそのレポートを。場所は調布駅から徒歩十数分、地場産の野菜・鮮魚・食肉が並ぶ卸売市場「深大にぎわいの里」、その中にあるコミュニケーションバー「紗ら十《さらさら》」。紗ら十では、毎回ゲストが一日マスターとなり、講座やワークショップなど飲食店の枠を超えて素敵なイベントが開催されています。その日は自分が昼からお店をジャック。まずは高知の海洋堂ホビー館四万十でもやって好評だった造形ワークショップ「オリジナル怪獣を作ろう」を。「子供&初心者向け」としていたのですが、ワンダーフェスティバルに出展されている方まで参加の総勢十数名。人形映画作家の飯塚貴士監督にお手伝いをお願いし実質2時間半でTVや映画じゃ見られない個性的な怪獣たちがズラリと揃いました。さらに夕方からは、同じく調布在住で小説家・UMA研究家で怪獣にも造詣が深い中沢健先生と自分が組んだ怪獣のことだけを考えるユニット「怪獣脳」のイベント「調布怪獣ナイト」を。第1回の今回は「調布のご当地怪獣を考える！」をお題に中沢VS寒河江でそれぞれが考えた調布怪獣プレゼンのガチ対決3本勝負！…という企画。お店いっぱいのお客さんだったんですが、特殊メイク造形・美術系の方たちから俳優・芸人・監督・プロデューサー等々、懸念していた「客席の方が豪華ですやん」現象となり、その中には『ウルトラマンレオ』で自分ら世代のトラウマ怪人「ブラック指令」を演じられた大林丈史さんも！その情報を事前にキャッチした自分の一発目は調布市の形を模った「調布の円盤生物」で勝負。サプライズで大林さんも巻き込んでまずはひと笑い。後攻中沢先生は調布ゆかりの人物シリーズとして水木しげる先生・近藤勇・まゆゆ（調布で選挙一位だった）を怪獣化の3体を。2回戦はそれを受けて自分は調布の某芸能プロダクションの俳優さんを合体怪獣化させた命名：「グンダン」。中沢先生は調布市のご当地ヒーロー「グランマサラ」の仮想敵怪獣で勝負。3回戦は自分は深大寺植物公園の怪獣…、先生は「実際に調布のUMAを探しに行ってきた」と多摩川の画像を！という四次元戦法。お客さんからの指摘で実際にシーサーペントみたいなのが写ってて、これはもう先生の大勝利。その後もお客さんたちと遅くまで怪獣バカ話でも盛り上がり、イベントは大成功だったのでありました。

10月 それをプロオタクと呼ぶね

映像やホビー関連の造形の仕事に携わって30年近く、自主映画や趣味の造形を入れればもっと長く…やって来てるわけでして、なぜ続けられているかと言えば「好きだから」に尽きるんですが、今回はその「好きだから」について。フィギュアや怪獣映画なんかに関してはそれなりにオタクを自負しているわけですが、長くこの業界に居るといろんなスゴイ達人級オタクの方々に出会うわけです。「え？ なんでそんなものまで持ってるんですか⁉」というようなものすごいコレクターの方のお家はホントに博物館の様で…それどころか博物館的イベントに貸し出しされるほどだったり、話していても全く敵わない膨大な知識量を誇る方は、当然ライターとしても活躍されていて書籍もたくさん出版されていたり、そういうオタク力を職業にされている方はもちろんすごくて「好きだから」を極められていると思うのです。しかし、それとはちょっと違うあくまでもファンの立場なんだけど「好きだから」を貫き通して行動されている方々を本当に尊敬しています。「プロオタク」、勝手に自分がそう呼んでいるのですが、例えばワンフェスなどイベントに出展した際は新作を買ってくださったりご挨拶に来てくださるTさん。自分は大学の関係で関西でも学生たちとイベント出展することも多いのですが、西でも東でもアート系でもホビー系でも必ずと言っていいほどお会いする。話をしてみると一日にイベント3～4つ掛け持ちして回るのも当たり前な感じで、ビックリしたのは一度ワンフェス（幕張メッセ）でお会いした際は駆け足で「スミマセン、このあと別のイベントに行くんで！」と。訊けば大阪吹田の夕方からのライブに向かうとのこと。一日でも中々回れないワンフェス後に大阪まで向かう行動力！ 大尊敬です。あと前にもここで書いた北海道の映画ミニコミ誌「ローデッドウェポン」編集＆ライターのＤＪ亜星さんはＢ・ｉＳなどのＷＡＣＫ系アイドルファン。９月８日

はそのＢｉＳの大阪でのライブでＳＮＳで札幌在住の亜星さんを自分が誘った形になっていたんですが…。9月4日の台風で大阪は空港が閉鎖されるほどの大被害が出たその翌々日9月6日北海道で大きな地震。亜星さんも停電断水等サバイバル生活を強いられ、普通だったら当然余震の心配や安全や水や食料など生活のことで頭いっぱいになるはずなんですが、そこはプロオタクの亜星さん。停電で真っ暗な中、バッテリー残り少ないスマホから情報を得て、まだ大きな被害が残る新千歳空港の数少ない伊丹行き便の航空券をＧＥＴしライブ当日に無事来阪！ＢｉＳライブでは、推しでもあるメンバーのゴ・ジーラさんがそのライブ会場の土地のご当地怪獣を訊いてみんなで叫ぶ…というのが定番なんですが、「大阪のご当地怪獣は？」「ヒョウガラヤーン！」を亜星さんとヒョウガラヤンと一緒に生で聞けて、そういう意味でも最高のライブなのでありました。仕事柄とかく引きこもりがちな自分でありますが、この夏は努めて出向きましたですよ。大阪のＢｉＳライブの他、新宿でＰＯＬＹＳＩＣＳ。明石の『特撮のＤＮＡ展』、姫路『ふしぎジオラマミュージアム』、現代美術二等兵さんの『駄美術詰め合わせ展』、イオンモール神戸北の片桐仁さんの『ギリ展』、乙幡啓子さんの『妄展』、石井那王貴さんの『特殊映画研究室展』等々。先日の大阪のＧＷＣ「ガレージワークスコミュニケーション」には学生が出展していたので久々にお客さんとして行ったのですが、当然来ていたＴさんとは残念ながら会えず。あとで「会えずスミマセン」と謝られていたと聞き、逆にスミマセンと反省する自分なのでありました。「好きだから」を貫くプロオタクという生き方、カッコイイです。

11月　止めるな！　10月！

月刊ホビージャパン2019年1月号掲載の『カメラを止めるな！』フィギュアの話。映画は評判通りとても面白かったんですが、公開から約2ヵ月後でやっと調布の映画館で観たという出遅れ具合とすでに多くのファンの方が支持されていて超大ヒットな盛り上がりゆえに当初「自分は（声高に）応援しなくてもいいかな。」モードだった夏、海洋堂（大阪府門真市）の大社長様から「寒河江、観たか？　これはフィギュアやらなあかんで？」と、まるで劇中の番組プロデューサーがごとくハイテンションなアツアツやろ？　オファー。1995年のアノ『ガメラ 大怪獣空中決戦』の時の熱いテンションの感じ。あの時は、商品化だけでなく渋谷の店舗で「ガメラ展」までやった経緯があり、その本気度に自分もスイッチオン！「安い早い質はそこそこ」キャラ全開で迎え撃つ！…という気持ちでお請けしたのですが、時は9月後半、自分はその海洋堂さんと大阪芸大が贈る若手造形作家を応援する目的で開催の『新世代造形大賞』準備真っ只中。特に3回目となる今回は大阪府の「大阪文化芸術フェス」の一企画となり前回よりいろいろグレードアップ！出展者を招くレセプションパーティーの他、期間中の土日には講演会やワークショップなど企画イベント盛りだくさん。もちろん、後期授業開始で、教えている大阪芸大と短大の授業もあり、学生には造形大賞出展を促しているのでその指導も…で超バタバタ。普段なら自宅（東京）4日・関西3日というスケジュールなんですが、一週間滞在しては一日東京に戻ってまた関西…という感じのほぼ関西ホテル滞在日々。ということで、フィギュアの原型製作作業はホテルの部屋で。「ホテルに籠って仕事」というと売れっ子作家みたいですが、イベント関連や学校のメール対応もありそれ以外もバタバタ。イベント前日は郵送で送られてきた出展作品は破損作品も多数で当然その修理は自分担当。出展者の搬入や展示のケアもある中もはやパズルのような修復作業。そして迎

えた初日、ゲスト審査員としてお招きした樋口真嗣監督、そして『ＢＬＥＡＣＨ』や『キングダム』等今や日本特殊メイク造形のトップランナー藤原カクセイさん東京から来阪。10名越えの審査員団による審査&賞発表やトークイベント等もとても盛り上がって何とかクリア。夜はホテルに戻って造形作業をするんですが、外食する時間がもったいないのでスーパーで買った総菜なんかで凌いでいたら、買ってちょっと時間がたった天むすがピカゴロのストライク！ちょうどアノ映画のスキンヘッドの方を造っているタイミングで。脂汗纏いながらスナック菓子のように整腸薬ポリポリで乗り越え。さらには学校から要請の高校での模擬授業や日曜日にはオープンキャンパスでの体験入学授業も乗り越え、関連イベント「スカイキャンパスねんど会」では普通にその仕事をし…といろいろ対応の中、有り難いことにホビージャパンでそのフィギュアの記事化も決定！「ミニディオラマで。」と提案して自分の首を絞める。そんな中「寒河江、ＩＭＡＸの『２００１年』観に行くで。」「太陽の塔の中は観とかなアカンで。」と門真の大社長の悪魔の誘いもあったりし（笑）、ついに造形大賞最終日。その日午前中は大阪芸大短大部が毎回ブース出展しているアートウェイオオサカ「おばけ恐和国」の搬入展示を午前中手伝って、午後からあべのハルカスで搬出作業。「また来年もよろしくお願いしますね」と出展者を送りだしたり、送り返す作品を梱包したり色々終えてなんとかイベント大終了！ということでへとへとグッタリな10月でした。疲れると腰に来るんですが、腰痛で倒れても代わってぐわーんぐわーんと作業してくれる女子アシスタントがいるわけもなくまだまだ頑張ります！止めるな！は続く…。

12月　年末のびっくりニュース

いやもう激動の2018年末、皆様いかがお過ごしでしょうか。自分は今月号の別ページでも書いた通り『カメ止め』フィギュア原型にあけくれたわけですが、個人的にいろいろニュースが目白押しでした。まずビックリしたのははムード歌謡グループ「純烈」が悲願の紅白歌合戦出場に！のニュース。知らない読者も元特撮ヒーロー出身の俳優達が組んだ歌謡コーラス…と聞けばピンとくる方も多いのでは。ガオブラック、カブトライジャー、仮面ライダーギルス、仮面ライダーゾルダ、＋1の歌謡アベンジャーズ。自分も戦隊の特撮美術助手出身ではあるのですが特に所縁があるのが純烈リーダーの元ガオブラック酒井一圭さん。TVなどで純烈結成のきっかけとして「撮影中に脚を複雑骨折して、入院中にいろいろ考えてコーラスグループを結成するアイデアを思い付いた」というエピソードが紹介されていますが、その撮影というのが仕事でもなんでもない主演自主映画『クラッシャーカズヨシ』（レイパー佐藤監督）で、特撮が必要な場面では自分もミニチュア製作を手伝ったりしていました。その後、酒井さん演じるクラッシャーカズヨシが頭部が自分でボディがS.I.C.の安藤賢司さん（！）という贅沢原型でフィギュアになったり、河崎実監督の『電エース～ハンケチ王子の秘密～』では共演させていただいたり（俺は俺役）と所縁が深く、純烈結成後はお会いすることすらなくなってしまったのですが知らせを聞いてとてもうれしかったです。グループと言えば女優アイドルグループの「ノーメイクス」が12月7日に惜しまれつつ解散に。奇才井口昇監督プロデュースのアイドルユニット。当初映画『キネマ純情』のための企画ユニットくらいに思っていたのですが、大手プロダクションでもない彼女たち、4年間の活動の中で7枚のCD、2本の主演映画は立派だと思います。今後も女優さんは続けられるとのことで皆さんも応援してあげてください。まずはDVD、Blu-ray発売中の主

演映画『ゴーストスクワッド』をぜひ。主演映画と言えばCSファミリー劇場のオカルト番組「緊急検証！」シリーズがまさかの映画化！『緊急検証！THE MOVIEネッシーVSノストラダムスVSユリ・ゲラー』って平成最後のVSシリーズじゃないですか！出演者のひとり、ウチのご近所さんで小説家&UMA研究家の中沢健先生。フライヤーや映画予告編を見ればもう主演と言っていいと思います。これはもうみんなで観に行きましょう。そう言えば、2007年大阪の「モンスタービバ！」というイベントで出演予定だった酒井さんがその骨折入院で来れなかった時、代役的に出演したのがなぜか中沢先生だった。そして、訃報の多い昨今ですがマーベルの名誉会長スタン・リーさん死去のニュースには驚かされました。ちょうど今『Endgame』の予告編が公開されて話題な訳ですが、長いキャリアのすべての仕事が偉大なのですが、最後に世界中で巻き起こるアメコミブームの花火を打ち上げたのがすごいです。

戦隊の特撮キャメラマンの鈴木啓造さんも言っていたのですが、40年前スタンがもし東映スパイダーマン製作を認めていなかったらその後の戦隊のバトルフィーバーロボからの巨大ロボの流れが無かったかも…の話。そうだったら戦隊特撮の現場出身の自分も東京には出てきていなかったろうし、今回のコラムで名前を挙げた人たちにもきっと出会っていなかった。酒井一圭さんもガオブラックをやっていなかったわけで、そうなると純烈も存在していなかった。…ともしもの話ですが、スタン・リーは正に自分の恩人なわけです。遠い島国からですが「Thank you so very much Stan Lee!」

ということで、皆さん身体にはお気をつけて。良いお年を！

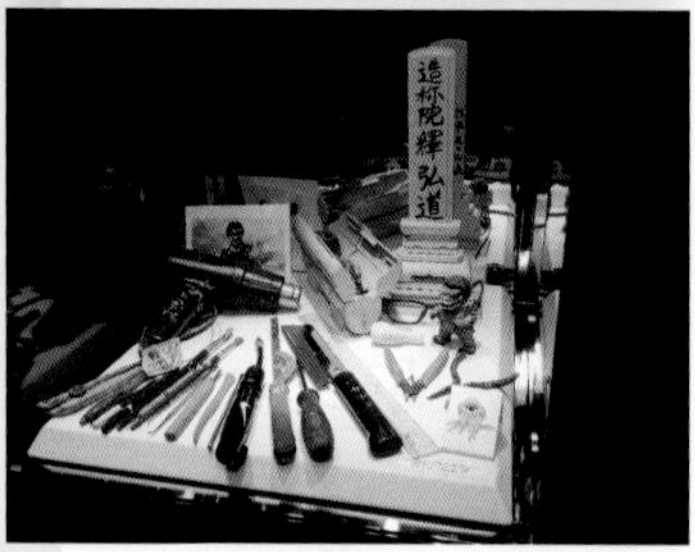

海洋堂の主催するイベント「ワンダーフェスティバル」では寒河江弘追悼コーナーを設置。有志による追悼セレモニーも開催された（2020年2月）

宮脇修一（海洋堂 取締役専務）

寒河江くんとは永らくさまざまな造形活動を一緒に行ってきたので、彼にまつわるエピソードは数え切れないほどあるのですが、はじまりは1983年、彼がまだ大阪芸術大学の学生だった時代からです。当時の海洋堂はガレージキットの始まりの地、聖地として多くの造形作家が集まっていました。その中で、毎月のように自身が作った恐竜を始めとする造形作品を見てもらいに持ってくる若き日の寒河江くんの姿がありました。

当時の彼の作風は非常に丁寧、反面、特別とりたてて強い魅力や個性があるわけでもなく「まぁ、よくできているねぇ。また持ってきてねぇ」と毎回話していたことをよく覚えています。

その後、彼は特撮映像の世界での特殊造形物の制作など、さまざまな造形作家活動を続け、2000年代からは日本のトップ造形師として活躍することとなります。

また彼の最大の特色は、人にモノ創りを教えることがとても好きなこと、そしてその能力が高く、自身の出身校である大阪芸術大学で造形イベント「ワンダーフェスティバル」における大阪芸大／芸短大ブースの企画・出展、若手造形作家向けのコンペ「新世代造形大賞」の創設など、フィギュア造形の教育・啓蒙活動に異常なまでの情熱で取り組んだ結果、そのパワーによって造形志望の若者たちを引き込み、数多くの造形作家を世に送り出した功績は特筆すべきものです。あらためて彼の業績を偲び讃えるとともに、ご冥福をお祈りする次第です。

2019年

サガエデイズ　君よ粘土の河を渉れ！

1月　乙幡さん&たいがーさんとWFへ

今回のコラムはふたりのすごい作家さんたちについて。出会いは2017年の大阪芸大短大部イベント『げいたんランド』で開催の「またつまらぬものを作ってしまった〜芸術爆発大阪芸短編〜（うろ覚え）」というイベントでした。自分も出演で東京からタレントで俳優で彫刻家の片桐仁さん、妄想工作作家の乙幡啓子さん、さらにはサプライズシークレットゲストで放課後片想い系妄想発明家のたいがー・りーさんを迎えて大いに盛り上がったわけですが、実はその日がたいがーさんとは初対面。乙幡さんともたいがーさんのLIVE会場で会ってから2度目…とそんな程度だったんですが、御三方の作品に自分がもうヤラレてしまいました。片桐さんのことは当然として、乙幡さん、たいがーさんのことはその作品含めてもちろん知っていたのですが、生でそのプレゼンテーションを観て「なんて自由で面白いんだ！」と50歳にしてスイッチオン。普段メーカー様からのいわば「受注仕事」でキャラクターのフィギュアなんかを造ってきたわけですが、もちろんありがたいお仕事と分かりつつも二次創作物的に自分の作品じゃない気持ちが募りに募って始めた『ご当地怪獣』も「これからどうしようか…」と壁にあたっていた頃。「創った作品をお客さんの前で発表する」このシンプルな行為の面白さに目からウロコなのでありました。その羨ましさから昨年の香川県での『またつま』に遠征参戦はこのコラムでも書かせていただいた通り。その後の海洋堂ホビー館四万十でのワークショップや調布紗ら《さらさら》十での中沢健さんとイベントをやることになったきっかけもその出会いからなのでありました。乙幡さんの魅力は面白発想力もさることながら、工作、造形から手芸など多彩な技を駆使しての実現力のスゴさ。そして海外でも話題になった「ハトヒール」などホームグラウンドのネットコンテンツデイリーポータルZでの「作ってみた」から「使ってみた（やってみた）」までエンターテインメントとして記事化する語りの面白さ。「●神家の一族」のアレ型の氷を作れる「足氷」や山口県「むかつく半島」の連なる鳥居をモチーフにデザインのキャラクター「トリィネコ」などグッズ化された作品も多数で、「モノ作り」自体をエンタメに昇華させる巧みさ、ホントに圧倒されます。そして、たいがーさん！　作品のテーマは「好きな女子との妄想」、基本この一点なんですがそこからアクロバット的にイメージを膨らませていく展開がスゴすぎます。発明品のひとつ「ひとりで壁ドンできるマシーン」はその名の通り少女漫画や恋愛ドラマのシチュエーション「壁ドン」のドキドキ感を、ひとりで（人力で）体験できてしまうというもの。自分も体験してみたことがあるのですが、いやホントにドキドキ…いやドキッとしました。香川県高松市の「道の駅源平の里むれ」に期間限定で設置されているとのことでお近くの方はぜひです（現在は終了）。と、なんと！　そんな個性的な作家のふたりとこの度ワンフェスに一緒に出ることになりました。すでにグッズもたくさん作っている乙幡さんは初（?）のフィギュア作品を準備中。もちろんそれがどんなフィギュアなのか楽しみなんですが、気になるのはたいがーさんの作品。片桐さんも「物を売るワンフェスで概念が売れるのか」とたいがーさんが何を作るのか気にされてるよう。果たしておふたりのどんな作品が並ぶのか？　おそらく見るだけでも幸せになること必至。2月10日ワンフェスにいらっしゃる皆様、ぜひ「寒河江弘」ブースにお立ち寄りください。ところで新しい年を迎えたわけでありますが、今年も面白そうな映画やイベントが本当に盛りだくさん！　これらを観ずには死ねません。皆さんもお身体にはお気をつけて！

2月　ビートゥギャザー

もう公開終わっちゃってるかもですが、観ちゃいましたよ！『緊急検証！THE MOVIE ネッシーVSノストラダムスVSユリ・ゲラー』！ネッシーとユリ・ゲラーとノストラダムスが戦う超SFアクション!!!!…とかではもちろんなく、CSの人気番組「緊急検証！」シリーズの映画化作品。「オカルト三銃士」と呼ばれる飛鳥昭雄、山口敏太郎、中沢健の3氏がそれぞれ70年代に大ブームになったオカルト3案件を超える最新プレゼンを行う司令を受ける…というドキュメンタリー構成の映画。3氏の独自の取材によるとんでもない（本当にとんでもない）仮説と検証が展開されていくのですが、いつもの番組を超えたスケールで、実際にイスラエルまでユリ・ゲラーの自宅に取材に行ったりと豪華。冒頭の（ネタバレになるのですが）ユリ・ゲラーがアップで登場し、客席に向かって「アナタハ、携帯ノ電源をキール。」と超能力を使ってマナーを守らせる場面から爆笑スタート！康芳夫の「石原慎太郎ネッシー捜索隊」のとんでもない裏話インタビューや、かつての超能力少年清田君こと清田益章による当時のマスコミと超能力に関する証言と実演（!?）等、70年代UFO、超能力、心霊写真等々オカルトで育った俺世代感涙の証言集へ…からの！三銃士の皆さんの仰天仮説&レポート！さらには3氏がなぜここに至ったのかのドキュメンタリーが始まって…と、まるで満漢全席のようなオカルト食べ放題映画でした！本誌でも以前『ゴジラVSエヴァンゲリオン』のミニ小説やコトブキヤ「スーパーXⅡ」での寄稿でご存知の中沢健先生は、クラウドファンディングで集まったマネーの力を得てなんとネス湖へ！ネッシーを湖上へとおびき寄せるかつて誰もやったことのない作戦に出るのですが、ここで劇場内大爆笑。配られたスプーンを持って観ればユリからの超能力受信があるんですが自分は曲げられず覚醒しませんでした…。こんな映画が劇場で観られるなんて日本に生まれて良かったとしみじみ。

日本はいい国です。

話はガラリと変わって自分のことでのご報告なんですが。昨年12月に身体の異変があり、病院に行ってみれば、癌が見つかってしまいました。大腸（上行結腸）癌、リンパ節転移のステージⅢC。検査を経て1月中旬に狛江の慈恵医大第三病院に入院、腹腔鏡による手術を受け、先生の腕が良く無事成功。現在は退院し、術後の抗がん剤治療を受けているところです。最初は病名を聞いてやっぱりビックリしたんですが、手術を受け、他臓器転移はなく経過も良好。再発の注意は必要ですが、通院もしていて心配ない状況だと思います。実は生まれて初めての入院、高度な医療を目の当たりにして本当に驚きの連続でした。手術は４時間程度で全身麻酔から目覚めると両手、脊髄、尿道にカテーテルを刺されチューブだらけの『ＧＨＯＳＴ ＩＮ ＴＨＥ ＳＨＥＬＬ』のジャケットみたいな姿に。脊髄から直で痛み止め注入で痛みがほとんど無い（…尿道カテーテルの方が痛いくらい）入院生活でした。24時間点滴飲み放題（注入）の状態。そんな中、ありがたく何人かの方が面会に来てくれたんですが、術後５日間の絶食からのやっと流動食への、食べ物禁止空腹絶頂状態の俺の前で、カツ重（！）を食べ、さらに差し入れに（先生の顔写真仕様の）チロルチョコを持って来てくださった中沢健先生、本当にありがとうございました（笑）。さらに中沢先生、手術前には知り合いの方が超能力で癌を治せる方を紹介できると（しかも料金５千円で）とお知らせしてくださいました。さすがです。もちろん丁寧にお断りしましたですよ。いやあ日本は本当にいい国です。

3月 代打 浅井真紀登場。

『アベンジャーズ／インフィニティ・ウォー』では、サノスの指パッチンで人々の半数が姿を消しましたが、あれは別宇宙へと彼らを移動させているのであり、今後のＭＣＵがマルチバース展開へと移行するための布石という説を推している浅井真紀です。現在、寒河江さんが別バースで奮闘中ですので、今回は浅井が穴埋めにやってまいりました。２０１９年はキャラクターの際立つ映画が目白押しですね。３月上旬の現段階でも傑作揃いでうれしいかぎりなのですが、今後の目玉となると、文頭でもネタに絡めましたアベンジャーズの新作『エンドゲーム』でありましょう。新しいアイアンマンの噂も聞こえはじめて、玩具好きの心と財布が、早速ウォーミングアップをはじめたところです。

映画そのもののお話は首藤さんのコラム※にお任せするとしまして、本題としたいのは、デザインを見る側の気持ちの変遷のお話。どうやら今回のアイアンマンのデザインは、１９７０年代中盤からのコミックをイメージした、ノースリーブのマッスルなデザインらしいのです。自分はまだ未見なのですが、腕は肩口から黄色く、腕も脚も筋肉を模した面構成とのこと。僕はその話を聞いて大喜びしましたね。ついにクラシカルデザインの登場か！やっぱりアイアンマンは昔のデザインで観たいもんな！と。ところがひとしきり喜んだあと、ふと気がついた。「僕はクラシカルデザインのアイアンマンをかっこいいと思ったことが無いのに、なんで喜んだのだろう?」。エクストリミスや、ＭＣＵアイアンマンを初めて見た時の僕は、デザインの落とし所に狂喜していたはずなんです。「なんて素敵なアップデイトだ！アディ・グラノフ氏天才！」なんて。その後の情報を増したデザインや、流線的になったデザインも、どれもそれぞれに気に入っており、ひたすら買い続けたフィギュアの山を振り返ってもそれ

※月刊ホビージャパン連載の首藤一真氏による最新洋画情報コラム

を疑う余地は無いのです。そうもデザインの変化を喜んでいたにも関わらず、なぜか今回は「やったー！ クラシカルスタイルだ！ シルバーエイジだ！」と喜んでしまった。いやいや、お前シルバーエイジのアイアンマン、別に好きじゃ無かったじゃねえか！ この現象、つい先日受注開始となった、バンダイさんの「ＲＯＢＯＴ魂 ver. A.N.I.M.E.」ガンダムＧＰ０１とＧＰ０２でも、全く同じことが起きました。『００８３』が発表になった当時、僕は河森正治氏のガンダムデザインが苦手でした。初めてその設定画を目にした時は、うーん？ となりましたし、実際に映像を見て「あれ⁉ ＧＰ０１もＧＰ０２もカッコいいよ⁉」と思えたのも、佐野浩敏氏や吉田徹氏の作画補正によるものが大きく、設定画そのものは好きじゃない、という意識はその後も長い間、続いていたのです。

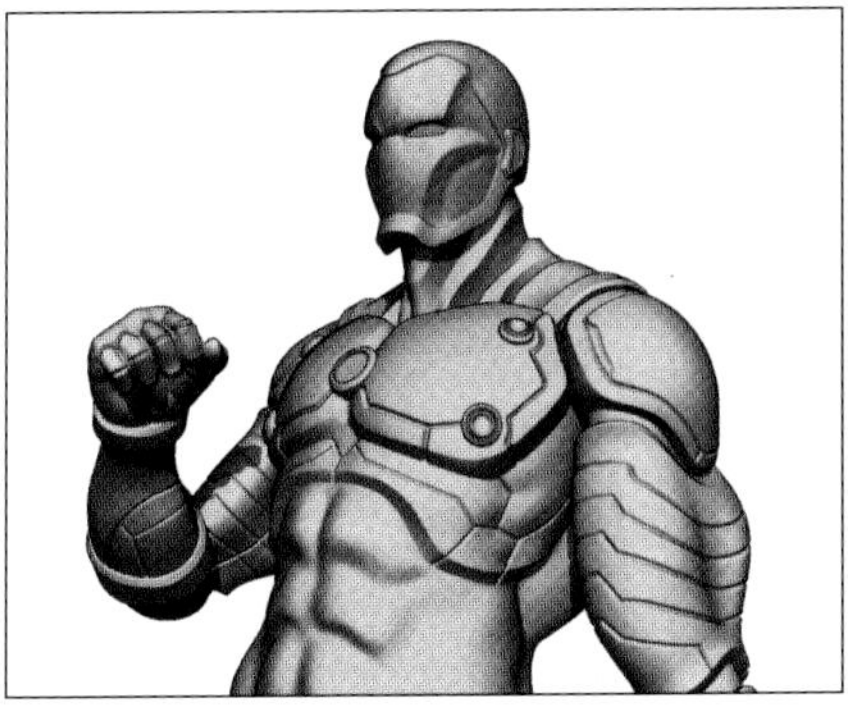

ところが、その設定画を丁寧にリスペクトした、ＲＯＢＯＴ魂 ver. A.N.I.M.E. が発表されると「これだよ！ 俺はこのＧＰ０１を待ち望んでいたんだよ！」とか思ってしまうわけです。いやいや、いつ待ち望んでたんだよ設定画ガンダム。無責任なまでの好みの変遷には、我ながら呆れざるをえません。この、好みではなかったデザインが、ターニングポイントを経ないまま、いつのまにか好きになっている現象は何なのでしょう。受容の幅が広がったのかもしれません。理解が追いついたのかも、見慣れて愛おしくなったのかもしれません。どれも少しづつ正解なのでしょう。でも、造形屋としましては、再構築を成し遂げた人達の技量に感動した、というのも入れておきたい所です。真摯に積み上げられたリビルドは、見落としていた魅力に気づかせてくれるだけの力があるのだと。大元のデザインとともに、上質なリビルドをされた方達へ、敬礼。

4月　サラヴァ、平成

先月のこのコラムは急遽ピンチヒッターで浅井真紀さんにお願いしてしまいました。浅井さん引き受けてくださってありがとうございました!! さて自分は、前にもここで書きました病状の件が急転悪化してしまいまして、緊急入院からの緊急再手術で約一ヵ月経過、今も病室でこの原稿を書いています。とはいえ、命に別状はないのでご心配なきようお願いしますね。さて自分がベッドの上で「壁を見つめる孤独な毎日」を送っている間に季節も年度もすっかり変わってしまって、世の中はすっかり春！ そして今回をもって連載ちょうど7年。そして、よく考えたら平成最後の掲載じゃないですか！ ということで、かなり私的に平成という時代を振り返ってみたいと思います。自分が大学を卒業した年が1989年で正に社会に出たその年に平成という時代が始まりました。地元大阪で会社員を経て、「造形やりたい」の気持ちが抑えられず、門を叩いたのが、かつてゼネプロのメイン原型師だった三枝徹師匠。三枝さんの元でアシスタントをさせていただいて、原型師としては青島文化教材社のガレージキット（GK）ブランド「アルゴノーツ」から『魍魎戦記MADARA』のソフビキットでデビュー（ちなみに同時期にボークスのMADARAのレジンキット手掛けていたのが浅井さんでした）。当時はGKという商品形態が画期的だった頃、大手バンダイですら出版課から発売されていた雑誌と同じ「B-CLUB」というブランド名でGKを展開していました。その後、縁あって原型制作工房の「HEAVY GAUGE」に加入（後に加入の浅井さんと出会うことに不思議な縁）。正に修行しながらな感じで、B-CLUB、ムサシヤ、海洋堂等、いくつかGK原型を造らせてもらったのですが、「やっぱり映画の造形をやりたい」とまた衝動を抑えきれなくなる病気が再発して、大阪から上京。本当にラッキーなことに東映撮影所にある特撮研究所さんの現場に美術助手として潜り込むことに成功。ライダーや戦隊等ＴＶで観ていた作品の新作に関われる喜び。さらにその後、『ガメラ大怪獣空中決戦』『ゴジラVSデストロイア』『ウルトラマンティガ』等いわゆる「平成●●シリーズ」作品に美術や造形スタッフとして続けて呼んでいただき、また海洋堂さんから関連のＧＫを手掛けさせていただいて忙しくも恍惚の日々でした。やがてアナログミニチュア特撮はデジタルの波に押され、徐々に主流では無くなって行くのですが、そのタイミングでフィギュア界では食玩ブーム到来！かつてのＧＫメーカーがマスプロダクツ製品をバンバン展開しコンビニの商品棚という戦場で大手企業製品と熾烈なバトル。さらに『電車男』大ヒットからのアキバブームが追い打ちをかけ、山口勝久さんが手掛けるリボルテック、浅井さんがデザインのｆｉｇｍａ等、各社からミニサイズ可動フィギュアも展開され大盛り上がり。やがてブームも落ち着き、造形的な大きなトピックは、ZBrushと３Ｄプリンタ普及によるデジタル造形の流れに。アナログ人間の自分が思うよりずっと早くやって来た未来の造形。自分も関わり方を模索する日々ですが、アニメ映画やゲームも３ＤＣＧで描かれることが多くなった昨今。造形をすることの可能性が格段に広がったと言えると思います。そして、今…。自分は母校大阪芸大にフィギュア専門コースが設立され先生として教壇に立っています。さらにはデジタル造形の授業では浅井真紀先生も！素晴らしきかな腐れ縁です。さて、新時代「令和」。いったい何が起こるのかオッサンなりにワクワクするんですが、その前に病気を治さないとね。頑張ります。お薬代稼がないと。

5月 昭和→平成→令和

先月の話題を引きずってる感じですが、新時代「令和」やって来ましたですね。おっさんの自分は、「昭和から平成へ」を体験した世代。あの時は天皇陛下の崩御とともに平成が始まり、自粛ムードで粛々と新時代が始まった感じだったんですが、今回は完全お祭りムード。改元早々イベントや令和グッズが数多く発売されたり盛り上がっていますね…って、フィギュア的にはあんまり関係ないっぽいですが。思い起こせば、昭和から平成になるタイミングで自分のヒーローだった松田優作や漫画の神様 手塚治虫先生、そして歌謡界の超大御所美空ひばりが亡くなられたんですが、平成が終わるタイミングで同じくヒーローのショーケンこと萩原健一や漫画原作の大御所小池一夫先生が亡くなられて、なんだか時代は繰り返すなと感じました。萩原健一と松田優作と言えば、70年代の伝説の刑事ドラマ『太陽にほえろ』で人気を二分したマカロニ刑事とジーパン刑事。ともに殉職シーンが話題で、特にジーパン刑事は「なんじゃこりゃぁ〜っ!!」と、よくものまねネタにになったりしてたんですが、平成という時代はジーパンの死で始まりマカロニの死で幕を閉じたんだなぁなんて思うと、なんだかしんみりです。手塚治虫先生と言えば、今自分がフィギュア製作を教えるため通っている大阪芸大の短期大学部は兵庫県にあるんですが、すぐそばには手塚治虫記念館があり、うちの学生たちも催し等では似顔絵作家として参加させていただいたり縁が深かったりします。平成になってから大学で漫画やキャラクターイラストなんかを教えるのも珍しくはなくなったと思うのですが、漫画、アニメーション、ゲーム、フィギュアアーツをひっくるめて「キャラクター造形学科」と称しているのが、自分の母校で今は教鞭をとっている大阪芸術大学なんですが、その「キャラクター造形学科」の名付け親が小池一夫先生なのでありました。最近ではSNSでブレイクで、若い人にとってはTwitterで格言を言うおじさんくらいの認識かもですが（いやそれもすごいことですが）、自分にとってはやっぱり小池先生と言えば『子連れ狼』の原作者！原作漫画はもちろんなんですが、何と言っても大好物なのは、若山富三郎主演の劇場版の「子連れ狼」シリーズ！世間的には萬屋錦之介版のＴＶシリーズがメジャーかもですが、ＤＶＤ等出ているので映画版をぜひのぜひでご覧いただきたい。全編漂うニヒリズムと過激なバイオレンス！若山先生の殺陣もキレッキレ！さらには乳母車のトンデモギミック等々、今の若い人の時代劇のイメージをガンガン覆す描写の数々にシビれること必至です。さてその小池先生は原作者であるとともに70年代には「劇画村塾」という漫画家・原作者の養成塾を始められ、そこで高橋留美子先生やさくまあきら先生等々数え切れない程の有名漫画家原作者を輩出した実績のもと、14年前に大阪芸大に創設されたのが「キャラクター造形学科」なのでした。学科立ち上げ当時はフィギュアアーツコースは無かったのですが、小池先生がいなければ自分が今大学で教えている状況もきっと無いわけで、そういう意味でも小池先生には感謝しかありません。さて、美空ひばりに符合するのは誰なのか？昨年の安室奈美恵引退？いえいえ違いますよ。ここで自分にとっての大ショッキングニュース。このコラムでも何度か語っている「新生アイドル研究会ＢｉＳ」が5月11日赤坂ＢＬＩＴＺでのＬＩＶＥをもって解散してしまいますよ！しかも、最新曲がＴＶアニメ『遊☆戯☆王ＶＲＡＩＮＳ』のエンディングテーマ曲に選ばれたり、令和最初のオリコンデイリーシングルランキング1位を獲って、グループとしては一番人気が上がっている今ですよ。自分は大阪でのラストＬＩＶＥ観に行って、もう涙涙ですよ！令和、どうなる令和！

6月 上海WF、大盛況の巻

6月7日13：10、関西国際空港。BOMEさん達 海洋堂関西組、片山浩さん、大山竜さん、そして自分ら夫婦一行は、『Wonder Festival 2019 上海』に向けて旅立つ…はずだった…。なんと乗る飛行機が全然来ず！ なんでも関西大雨の影響で乗るはずの飛行機が関空に着陸出来ずに名古屋の空港に行ってしまったらしい。お詫びの水とお菓子が配られ、なんとか4時間半遅れで今度こそ上海へ！ 会場の「上海新国際博覧中心」到着は、夜10時を回り設営準備も出来ず。ホテルにチェックインして、部屋で夜中2時過ぎまで明日のワークショップの準備…と、そんな感じで前途多難な船出となりました。ということで行って来ました上海ワンフェス!! 結果から先に言えば、大々盛り上がりでした。自分は、BOMEさん、松村しのぶさん、榎木ともひでさん、浅井真紀さん、大山竜さん、石長櫻子さんらと招待作家として展示ブースをいただいての展開。自分はずっと続けてきた『ご当地怪獣』と教えている大阪芸大短大部のアピールで。ブースではせっかくなのでとご当地怪獣のマケット（雛形フィギュア）をRCベルグさんで複製してもらい、完成品とキット、そして、自分が入院中に病室で描いた色紙や科楽特奏隊のご当地怪獣のテーマCD、新規作成のアクキー等を販売したんですが、これが売れる売れる！ 元ノーメイクスのみのりさん（パンダ怪獣の擬人化コスプレで！）やTwitterでお馴染みの怪獣ヒョウガラヤンも自腹で駆けつけ盛り上げてくださったおかげですが、特に高額に設定した完成品マケットフィギュアからどんどん完売に。前回のプレWFでも人気だったうどんの怪獣「ウードン」がなぜか若い上海女子に大人気で、売り切れ後も展示サンプルを「ぜひ売って欲しい！」と懇願され、「これを買うために7月の幕張のワンフェスに行く！」とまで言われるほど。ビックリするとともに、日本でもこのくらい人気が出ればなあ…と憂うのでありました。また2日間にわたって造形のワークショップも行いました。すぐ行列が出来て50名近くで満員に。心配になって「人気造形師の大山竜さんの造形実演は隣ですよ。」とアナウンスしたくなるほど。1日目は「オリジナル怪獣」2日目は「ネコモチーフのマスコット」というお題で20分で自分と一緒にみんなで一斉に造形！そして、後でポイントの解説を…という構成で、これまた個性的で素晴らしい造形作品が数多く生まれました。1日目は『ご当地怪獣』の絡みで上海蟹をモチーフにした怪獣のマケットを作って発表し、2日目は講義で日本のネコキャラクターのデザイン解説等々も。そして、その様子を国営TVの中国中央電視台が取材に！講座後にインタビュー取材も受け、どんな風に放送されたのかむちゃくちゃ気になる自分でありました。そんな感じで大勝利と言っていい自分たちのブースですが、まだまだ課題も多い海外でのWF。「版権」に対する認識の違いは、米国の造形系イベントでも感じたことですが、それは日本でも初期のWFや同人誌の即売会でも同じことが言え、今後回を重ねる毎に改善されていくと思いますが、何より驚いたのは一般ディーラーブースの造形レベルの高さ！クオリティや情報量とともに芸術性の高い作品ばかり！そもそも中国はフィギュアの工場での生産では世界一の技術大国、それでいて、造形師のレベルも超絶に高い、さらにはお客さんの良い作品に対する購買欲も高いとなったら、正直日本は全く太刀打ち出来ませんですよ。売れた楽しかったと浮かれている場合ではなく、もっともっと頑張らないと！と喝を入れられた2日間でした。

…そして…疲れた。

7月　ドギツイ関西人

上海WFでご一緒した造形師片山浩さんのキャラはすごかった。GK創世記から今も一線で活躍されている片山さん。大山竜さんから「片山さんは最近ニューファンドやスポンジペーパーの存在を知ったらしいですよ！」と聞きビックリ。いやコレ漫画だったら「山で何十年も過ごしていた達人が銃器の存在すら知らず、日本刀で敵の銃弾を真っぷたつにする系キャラだ！」と。海外旅行なのに鞄はチャックの縫い目で破れて全開だったり、帰国時はホテルに靴を忘れて来たり、いちいちカッコよく思えるほどでした。ということで今回は個人の「キャラ」の話。思えば関西出身の造形師達はキャラのある人が多い。浅井真紀さんは実力充分のトップランナーなのに「ギギギ」となぜかいつも悔しがるベジータやヴィラン的キャラ。大山竜さんは身体デカいのに緻密な造形が得意というギャップがキャラになっている（と思う）。…で、自分は何か？ 海洋堂センムはよく「寒河江はクリリンや」と例えてくださるのですが、それはそうとして実際のところブレブレですわと実感。『TVチャンピオン』の出演以降たまにオファーいただく自分の数少ないTV出演の中で、ディレクターさんからのキャラ付けは大体が「すごいカリスマ造形作家でお願いします！」という感じで、（カリスマ性なんざゼロなので）申し訳ないことこの上なし。そんな中でもキャラ通り頑張れたのが、MBSの番組『プレバト!!』に粘土造形の先生で出演させてもらった時。多くのタレントさんの粘土作品を辛口批評で一刀両断していくんですが、下手な作品を見ると急に口悪く感情的に関西弁丸出しになってしまう…というキャラ。スタジオには一流有名人ばかり、しかも司会は憧れまくりのダウンタウン浜田さん！ 収録は死ぬほど緊張だったんですが、そのキャラのおかげでなんとかやれた感じです。しかしながら、評判悪くはなかったと思うものの、その先生役出演も数回で終了の残念。あーすればよかった的反省はずっとなんですが、なんとなく心のどこかに「もっとドギツイ関西人やればよかったのかな…」と反省。そんなことがよぎりながらぼーっとTVつけてたら、文字通りドギツイ関西人キャラでガンガン行きまくるファーストサマーウイカさんの姿が。MCの芸人さんに対してもグイグイ絡む、さらにはアイドルなのに素顔写真を公開したり捨て身の戦法でドンドンさらけ出す。ガンガンドンドングイグイ！　もう痛快極まりなし！　そして自分もあの時このくらい行けばよかった…と、反省がまたしても蘇りますよ（汗）。タレントでもないのに。ということでファーストサマーウイカさん、その反省も含め元気もらっていて、これからの活躍が本当に楽しみなのであります。応援。もうひとりドギツイ関西人でここで紹介したいのが、京都の映画監督の宇治茶さん。お笑い王国 吉本興業所属の異色監督さんなんですがお笑いやるわけではなく、本人はいたって普通…いやむしろおとなしいくらいなんですが、その作品がクソドギツイ！　今全国巡回公開中の映画『バイオレンス・ボイジャー』を機会があればぜひ観てほしいんですが、よく映倫突破したなという正にやりきった作品。彼の映画の手法は劇メーション。アニメではなく手描きの絵を切り抜いて手で動かして撮影という方法なんですが、すべて宇治茶監督本人の手描き。しかもその絵が超緻密。そして内容は正にトラウマ必至のやりすぎのバイオレンス！　彼の作品を観て「俺よ、自分のキャラじゃなく作品でキョーレツ個性を発揮しろ！」とまたしても反省の俺なのでありました。

8月　パンブー哲夫さん見てますか

お隣ページ※のパンクブーブー哲夫部長様、ハイキングウォーキングQ太郎副部長様、吉本プラモデル部の皆さん初めまして。寒河江と申します。約30年ほどフィギュア造形をしています。突然ですが自分はお笑いが大好きです。もちろん、造形や怪獣や好きなものたくさんですが、大阪で育った自分、子供の頃、週末はＴＶお昼の『新喜劇』からの『お笑いネットワーク』『爆笑寄席』で育ち、中学で漫才ブーム直撃、高校で『ひょうきん族』、さらには大学の頃にダウンタウンの衝撃で、もう血肉と言っていいほど。このコラムでもホビージャパン社内で収録だった番組で共演させていただいたビートたけしさんへの想いを書かせていただいたり「お笑い愛」を語ることが度々ありましたが、今回は純度を上げげて。実は20代の頃はアマチュアでコント（のようなこと）をやってたり、ダウンタウンが好きすぎて当時の関西ローカル人気番組『4時ですよーだ』に素人参加したり（←そう、2丁目の舞台に立ったことがあるのだ！）な自分ですが、造形の仕事がやりたくて今のフィギュアや特撮美術の仕事に。それでもフィギュアで芸人さんとの絡みもあったりして振り返れば幸せな人生です。藤井隆さんのアクションフィギュアの原型をやらせてもらった時は、忘れもしない２０００年の12月31日。ＮＨＫ紅白歌合戦の楽屋まで取材に。緊張感でピリピリのホテルの部屋で空気読まずバシバシ写真撮りまくりで迷惑かけまくり。悪い印象しか残せなかったと反省も16年後アルバム「DJ MIX "Delicacy"」のジャケットでそのフィギュアを使ってくださって大感激！　また調子に乗ってＴＶ番組に出させてもらうようになってからは、レイザーラモンＲＧさんや博多大吉さんのフィギュアを番組内で作らせていただいたのも、皆さんとても喜んでくださってうれしかった。ピークは『プレバト!!』の粘土の先生で何度か出させていただいた時。憧れまくりのダウンタウン浜田さん！　番組終わり「セ

※月刊ホビージャパン掲載当時、対面のページが吉本プラモデル部の連載「プラモ大喜利」だった。

ンセまたよろしくお願いします！」なんて浜田さんから言われたらもうその日は眠れませんでしたよ。番組内ではフジモンさん、友近さん、陣内さん、せいじさんらと掛け合うわけですがホントに夢の様でした。さて、似顔のフィギュアでまた番組共演で芸人さんと絡んで喜んで終わりということなら今ここでなんか決意表明的に書いている意味がありません。ここ数年思うこと。それは「フィギュアをもっとエンタメにしたい！」の欲望のことであります。言い換えればフィギュアを使って、たくさんの皆さんを笑顔にしたいということ。片桐仁さん達の「またつま」に参加したことがキッカケなわけですが、商品としてのフィギュア以外にももっと何か出来やしないか。「日本を元気に！」を掲げてずっとやってるご当地怪獣シリーズもそうなんですが、見て楽しむ作品としてのフィギュアって可能性はもっとあると。そこで吉本プラモ部の皆さんに提案なのです！ コラボしませんか！ 自分大学でフィギュア制作を教える先生やってるんですが「プラモVSフィギュア」でウチの学生たちのフィギュアと部員さんたちのプラモで大喜利対決だったり、ネタをいただいてそれをウチでフィギュアにして作品展やイベントをやったり、いろいろアイデア沸いてくると思います。プラモとフィギュアはホビー家の兄弟みたいなもの。もっとホビーで皆を笑顔にしたい！ 僭越ながらその思いがガンガン募る今日この頃です。ご検討どうぞよろしくお願いします!! ちなみにここ最近でホビー関係で一番笑ったことは夏のワンフェス会場にひとつだけ届いていたお花の送り主が大崎洋会長と岡本昭彦社長だったことです。このタイミングでさすがだと思いました（笑）。

9月　シンッ！

発表になりました！　ビックリしました！『シン・ウルトラマン』！　庵野秀明×樋口真嗣の『シン・ゴジラ』タッグでウルトラマンの世界を再構築ってワクワクが止まりません。作画監督補だった『ウルトラマンＵＳＡ』から32年！　今回、企画＆脚本を手掛ける庵野さんのウルトラマンといえば、自分ら世代だと真っ先に浮かぶのは、ガイナックスの前身であるゼネラルプロダクツが作った自主映画『帰ってきたウルトラマン　マットアロー1号発進命令』。学生の頃、大阪は桃谷のゼネプロの狭い店内でのVHS上映で目に焼き付けられたセピアの記憶。シリアスな脚本のドラマ、凝りに凝ったアマチュアとは思えないミニチュア特撮、か・ら・の・それらを台無しにするような庵野監督が素顔のままで演じたウルトラマン登場！　当時の自分はこれが笑っていいのか分からず、しかしながらの画面から溢れ出すクオリティの高い映像に大いにカルチャーショックを受けたのでした。そして、ペーパークラフトという吃驚技でその特撮ミニチュア造形を手掛けられたひとりが三枝徹さん。のちに、自分にフィギュア造形のいろはを教えてくださる自分の師匠であります。三枝師匠その節はお世話になりました！　発表されたキャストも素晴らしい。主演は斎藤工さん。おそらくウルトラマンに変身する役だと思うのですが令和のハヤタにピッタリじゃないですか。斎藤さんには何度かお会いしたことがあるのですが、初対面は14年前の２００５年。河崎実監督の『兜王ビートル』という映画で自分は敵のボスキャラクターを造っていたんですが、その時のヴィラン・破壊王ディザスターを演じていたのが当時まだ新人の斎藤さんでした。その日の撮影が終わる頃、自分はスタジオの隅で片付けをしていたんですが「どうもありがとうございました！」と斎藤さんから。どうやら帰り際、まだ作業をするスタッフひとりひとりのところにお礼の挨拶をして回っていたらしい。「なんてイイ子！」。それからのブレイク大活躍はご存知の通り。もしかしたらそれ以来の変身キャラクターかもしれませんが大いに楽しみです。そして、ヒロインは長澤まさみさん。長澤さんといえば今や若手大女優の風格ですが特撮ファンの自分たちはあなたが『東京ＳＯＳ』『ＦＩＮＡＬ ＷＡＲＳ』で小美人だったことを忘れません。そもそもデビュー作が金子修介監督の超能力特撮映画『クロスファイア』で、最近では『アイアムアヒーロー』『キングダム』と佐藤信介監督の特撮アクション大作での姐御っぷりにもうメロメロです。『隠し砦の三悪人』で樋口組も経験済み。ウルトラでの令和の特撮ヒロインに期待値大アップです。そしてなんと言っても樋口真嗣監督ですよ！　デザイン等で参加された『ウルトラマンパワード』から26年、樋口監督がついにウルトラに監督として降臨！　『日本沈没』や『進撃の巨人』等々ビッグバジェットの映画を多数監督され今や日本映画界を牽引する存在の樋口さん。今までにない迫力の「巨人対大怪獣」のバトルが楽しみすぎます。嗚呼シン・ウルトラマン…、実は現在闘病中の自分でありますが、２０２1年、東宝マークで始まるコレを観るまでは本当に死ねませんですよ。さて、その『シン・ウルトラマン』に負けじと我が『ご当地怪獣』プロジェクトに新たな動きが！　突然の〝映画化決定〟ですって！　プロデューサーに『ウルトラマンネクサス』の松永管理官他ウルトラシリーズ出演多数の俳優の堀内正美さんが名乗り出て下さり、自分は病室でプロットを書き、実は予算も何も決まっていない(！)のに、先日いきなりクランクインしてしまいましたですよ！　果たしてどうなる⁉　詳細は来月！　…多分。

10月　大感謝！　またね！

　ということで、闘病中なんであります。「腹膜播種」、難病の類でそこからの癌性腹膜炎という病気で、現在全く口から水分や栄養を摂ることができずの状態。飯を食うことが三度の飯より楽しみで、胃腸が誰より丈夫と思っていた自分にとって、長期の入院点滴生活はなんとも悔しくて情けない日々でありますですよ…はぁ…。そんな中、いやもうありがたいことこの上なしでいろんな方が面会に来てくださったり、助けてくださったり、天にも昇るような（昇っちゃいけない!!）幸せも感じています。ガメラ、ティガ、ゴジラ、戦隊で出会いともに一緒に戦った造形部、美術部の仲間たち、親友の国際俳優、90年代～出演映画を見まくった憧れの有名女優さんや近年ＬＩＶＥへもよく通った元アイドルの方、某特撮リスペクトバンドの皆さんは忙しいそれぞれのバンド活動の合間を縫って全員集結！　戦友と言っていいフィギュア界の雄、高校の後輩の映画監督、元玩具プロデューサーの方も、大好きな映画監督さんは新作試写に、また尊敬するおふたりの監督さんはスタジオに招待してくださった。他にもたくさんの皆さんが！　恩人ばかりです！　今は東京から大阪に転院し、そのついでにと、これまた自分の人生の中でも大恩人の海洋堂宮脇センムに助けられ大阪芸大での授業を無理やり敢行（←バカ）。そんな中…、いや昔から夏休みの宿題は最後にまとめて派の自分にとっては当然のように「もっとやっとかないと！」と焦る案件があります。ずっとやってるプロジェクト『ご当地怪獣』であります。「日本を元気に！」をキーワードに日本中のご当地ゆかりの怪獣たちのマケットト（原作フィギュア）を勝手に造りまくってしまおうという企画。7～8年前当時、某広告代理店に勤められていた内野惣次郎さんと意気投合。プロデュースしてくださり現在、小説や子供向け地理学習本などの書籍化、音楽ＣＤやグッズ化、米国や中国での展示、ＴＶ新聞などのメディア紹介、他にもたくさん仕掛けを作ったり助けてくださいました。さらにはこの企画のために会社を立ち上げ、ずっとずっと恩を受けまくりお世話になりまくりなのであります。そもそも内野さんとの出会いは、実相寺昭雄監督からのご紹介。実は内野さん、60年代は子役俳優をされていて当時正にブームだった怪獣作品に多数出演されていらっしゃったのでした。有名どころでは『ウルトラQ』18話「虹の卵」の太った少年や『ガメラ対バイラス』の太ったボーイスカウト、そして、実相寺監督作品『ウルトラマン』15話「恐怖の宇宙線」でガヴァドンの絵をディテールアップした少年たちの中の太った子！自分が生まれた年のお話。まさに怪獣が生んだご縁なのでありました。そんな中…数々の実相寺組の他ウルトラ、ライダーなど特撮作品ご出演でもおなじみのベテラン俳優堀内正美さんが「寒河江、何か楽しいやりたいことは無いのかよ！」と。

「そう言えば…ご当地怪獣を映画化したい」と言えば急遽「じゃあやろう！」ということになって予算も座組も何にも決まらない間にスタッフ集めが始まって俺入院中にクランクイン！なのは先月お伝えした通り。しかし！撮影照明は実相寺組の中堀正夫さん！牛場賢二さん！脚本に『千年女優』『スチームボーイ』や実相寺作品『ウルトラマンダイナ』38話「怪獣戯曲」の村井さだゆきさん！そして、プロットと総監督が自分！って、これはありえない！早速、自分は外出許可を経て都内某所で自分の出演シーンからスタート。もう訳が分かりません(笑)。現在は闘病優先でちょっと休止ですが、復帰したら必ず再開しますんでお待ちください！ということで…ずっとお付き合いいただきましたこのコラムも今回で休載となりました。皆様、長きにわたり応援してくださって有難うございました!!!!

飯塚貴士（人形映画監督）

僕の荒んだ心を癒してくれる数少ない瞬間のひとつに、たまにかかってくる寒河江さんからの電話がありました。いつもタイミングが良くて、ちょうど落ち込んでいたり、報告があったり、話をしたいことがある時にかかってくるのが嬉しくて。

お互いの近況を報告したり、映画の愚痴を言ったり、映画やおもちゃの話をたくさんしました。そんなやりとりは寒河江さんの闘病が始まってからも続いていて、ある日の電話。仕事の確認をしたあと、寒河江さんは珍しく感情的になって「楽しい思い出をたくさんありがとう」と言いました。

寒河江さんに造形をお願いした映画で一緒に映画祭に行ったことや、TV番組の放送を観たりしたこと、一緒にイベントを開催できたことが、どれも幸せな時間だったと。

「一応、直接言っておこうと思ってね」とすぐにいつもの寒河江さんに戻ってしまいましたが、この時の言葉は僕が挫けずに頑張れる大きな原動力になっています。

公私ともに恩しか貰っておらず何も返せていないのに、そんな風に感じてくれる寒河江さんの人柄。その魅力を皆さんに伝えたくて書きました。私的なことなのにすみません。

いつか寒河江さんとまた会えたら、電話口で病気を治したらやろうと話していたことを全部やりたいと思います。中沢健さんと一緒にネッシー探しに行き、温泉廻りをして、爆弾ハンバーグも食べに行きます。そして寒河江さんが原作・全編造形の人形映画も撮ります。

これからも寒河江さんは父と兄と師匠の間くらいの、心から大好きな人です。

中沢健（作家・UMA研究家）

「コンビ結成して5年。ようやく企画をひとつ実現できた」寒河江さんの口から、そんな言葉を聞いたのは2018年9月のこと。

寒河江さんと僕は『怪獣脳』というユニットを結成していました。「得意分野も、活動しているフィールドもまるで違うが、ふたりで力を合わせて面白いことをしたい」という寒河江さんからの魅力的な誘いに僕はすぐ乗って、一緒に書籍や映像作品の企画書を作っては出版社や映像制作会社などに持ち込む日々が続きます。でも、怪獣脳の企画が日の目を浴びることはなく、2018年の秋に都内のライブスペースでイベントを主催したのが、怪獣脳にとって最初の表舞台に。

そして、残念なことに怪獣脳として表に出れたのは、このときが最後になってしまいました。

こんなにも早く寒河江さんが旅立ってしまうことが分かっていたら、自主企画でも良いからもっといろいろチャレンジしておくべきだったと後悔しています。

怪獣脳名義ではないけど、寒河江さんと一緒に雑誌の記事などはいくつか実現できました。特に「ホビージャパン」誌上で、『ゴジラ対エヴァンゲリオン』のストーリーを僕が書き、寒河江さんにそのディオラマを作っていただいたことは忘れられない思い出です。寒河江さんと最後に話したのは、入院先の病院から「ホビージャパンのコラムを頼む」と電話で伝えられたときのことでした。今は寒河江さんからのバトンを引き継いで連載コラムを続けつつ、怪獣脳で作った数多くの企画もいつか実現させたいと願っています。

温かい思い出をありがとう。

酒井一圭

寒河江さんに初めてお会いしたのは、2004年ごろ、知り合いの芸人レイパー佐藤が監督した自主映画『クラッシャーカズヨシ』の撮影現場でした。多摩川の河川敷でダンボールのビル等を使った特撮シーンがあり、その現場に寒河江さんも美術担当として参加されていました。その日の自分は出演パートは無く、見学だけだったんですが、寒河江さんは大変気さくで、レイパーや中沢（健）と楽しそうに作業されていたのが印象的でした。僕が寒河江さんと直接絡んだのはその後、クラッシャーカズヨシがフィギュア化されることになり、顔（ボディ製作は安藤賢司氏）の製作をお願いしたときでした。当時限定で50体か100体くらい販売されたと思いますが、僕はこのフィギュアが今もお気に入りで、自宅の玄関に飾っています。

寒河江さんとは食事に行ったり、どこかに出かけたりといったお付き合いはありませんでしたが、フィギュア造形という、自分にはできない技術を持つ芸術家のひとりとして、常にリスペクトし続けていましたし、お互い敬意をもって付き合える距離感を保っていたと思います。体調を崩されたこともSNSや人づてで深刻な状況であることを知り、心配していました。そんなときに友人が寒河江さんから託されたというお手紙を持ってきました。そこには「病と闘う上で、いろいろな困難を乗り越えてきた純烈のように自分もがんばりたいと思うので、もしよければ僕に純烈のフィギュアを作らせてほしい」というようなことが書かれていました。その内容に、そこまで自分や純烈のことを思っていただけていたのかと、うれしく思いましたし、寒河江さんの闘病のお役に立てるなら、と喜んで製作をお願いしました。

製作中は資料として僕らの写真を見ながら作業されていたそうですが、今まで不愛想だったそうじのおばちゃんが、僕らのフィギュアを作っていると知ってから、すごくフレンドリーになったと、寒河江さんからおばちゃんとのツーショット写真が送られてきたこともありました。その後も製作を続けられていましたが、体調は思わしくないようでした。そんなある日、寒河江さんから「お電話できませんか」とメッセージをいただきました。電話では15分ほどしかお話できませんでしたが「フィギュアを作らせてくれてありがとう」と涙ながらにお話しされる寒河江さんの言葉に強い覚悟のようなものを感じて、なんと応えればいいのか言葉が見つかりませんでした。そして精いっぱい作られた寒河江さんのフィギュアをなんとしても形にしたいと強く思いました。

海洋堂さんをはじめとした多くの方々の尽力もあり、寒河江さんの原型は等身大フィギュアとして、純烈メンバーに代わり、コロナ過の日本でたくさんの人を笑顔にしてくれました。フィギュアを見た人は本当にみんな笑ってくれます。それは温かくて情熱的な寒河江さんのフィギュア魂が宿っているからだと僕は信じています。

酒井一圭（さかい かずよし）

俳優、歌手。2008年結成の歌謡コーラスグループ「純烈」ではリーダーを務め、2018年に結成時の目標であった第69回NHK紅白歌合戦初出場を果たす。2021年には「純烈」初主演作となる映画『スーパー戦闘 純烈ジャー』も劇場公開された。

サガエデイズ
君よ粘土の河を渉れ！
2012-2019

STAFF

著者／ 寒河江弘

執筆協力／ 浅井真紀
綾称
飯塚貴士
大山竜
斎藤工
サガエ・スタヂオ
酒井一圭
田口清隆
中沢健
中野貴雄
樋口真嗣
宮脇修一
（五十音順）

撮影／ スタジオR
題字／ 印玄
デザイン／ 北原千代
小林歩
編集／ 舟戸康哲

TEXT

寒河江弘（さがえ ひろし）

1966年大阪府生まれ。造形作家。1991年にフィギュア原型師としてデビュー。トイやガレージキットの商品原型を数多く手がけた。「平成ガメラシリーズ」『ウルトラマンティガ』『ウルトラマンサーガ』『ゴジラvsデストロイア』『進撃の巨人』等多くの特撮作品に特殊美術、特殊造形として参加。また、『アナザヘブン』『さくや妖怪伝』では特撮美術デザイナーも務める。大阪芸術大学短期大学部教授。2019年逝去。

Printed in Japan
ISBN978-4-7986-2633-8
C0076

サガエデイズ
君よ粘土の河を渉れ!
2012-2019

2021年10月26日初版発行

編集人／星野孝太
発行人／松下大介

発行所／株式会社ホビージャパン
〒151-0053 東京都渋谷区代々木2-15-8
TEL.03-5304-7601（編集）
03-5304-9112（営業）
印刷所／大日本印刷株式会社